超激ヤバ潜入
日本の超タブー地帯

宝島特別取材班

宝島社

はじめに

タブー地帯は決して特別な場所ではない。

国家機密によって立ち入りが禁止されていることもなければ、高度なセキュリティで厳重に守られていることもない。

意外なほど身近な場所に「ひっそり」と存在している。住んでいる街に、通り過ぎたビルの片隅に、なにげない日常のなかにタブー地帯は隠されているものなのだ。

多少のカネと労を惜しまなければ、訪れることも難しくない。たとえば新宿2丁目の「ウリ専バー」、男娼（だんしょう）を買う場所は、その気になれば誰でも行ける場所であろう。

だが、そこでなにが起こっているのか、その真実を知るのは意外に難しい。

人は信じたいことを信じる。見たくないものには目を背けてしまうし、聞きたくないものは聞こえないようにする。当事者たちもまた、見せたくないものは見えないようにし、聞かせたくなければ黙ってしまう。

こうして都合よくねつ造された「虚像」が広まっていく。なにかしらの意図を持って歪（ゆが）められた場所を「タブー地帯」と呼ぶのである。

正直、取材は困難を極めた。しかるべき手続きをすれば正規の取材をできる場所もあった。それでは意味はないのだ。歪められた場所であるタブー地帯の取材は、ことの善悪は読者に委ねて、ただ現場に行き、その場で見たこと、聞いたことをそのまま紹介するべきだと考えた。「来た、見た、聞いた」。これを徹底してやったから「激ヤバ潜入！」なのだ。

もう一つ、タブー地帯が「タブー」であるのは、社会の歪みそのものという点を忘れてはならない。こうあるべきという理想と、そうなっていない現実とのギャップがタブー地帯として表出する。ゆえに時代とともにタブー地帯は変遷する。

この手の特集の定番であった山谷や西成は、今ではずいぶんと様変わりした。もはや、そこに「タブー」はない。あるのは、いかにもといった「見世物」的な予定調和であり、かつてあった本当のタブーは、すでに別な場所へと移っている。

事実、今、日本では、かつて存在しなかった新しいタイプのタブー地帯が続々と生まれている。それが「貧困」であろう。

誰もが、今の日本で急速に格差が広がり、貧困層が急増しているという実感は持っていよう。その一方で、その不都合な現実から目を背けて気づかないふりをしている。こうして貧困由来の新たなタブー地帯が登場するようになった。

本書は、この新しく生まれたタブー地帯を中心に取り上げている。巻頭ではジャーナリストの中村淳彦氏が「異常性欲者が集まる居酒屋」に潜入した。どうして「居酒屋」なのかを読者に知ってもらいたいのだ。その他にも「今」という時代に取り残されて行き場を失った人たちを追いかけた。取り残された人たちが、それでも生き抜こうとする姿は、現代社会の縮図でもある。タブー地帯を知ることは、見たくない「今」という時代の真実を知ることでもあるのだ。

日本で、これからなにが起こるのか、なにが起こりつつあるのか。本書が、それを知る一助になれば幸いである。

宝島特別取材班

超激ヤバ潜入 日本の超タブー地帯　目次

2　はじめに

第1章　性と貧困の超タブー地帯

12　異常性欲者が集う変態居酒屋　池袋〝性の乱交場〟に潜入！
24　極貧と障がいにあえぐ　秋田「セックス教団」のいま
36　親からも客からも搾取される　沖縄「貧困少女」未成年売春
43　ガン患者、シングルマザーが売春　沖縄「最底辺」風俗のリアル
51　潜入！「歌舞伎町のテレクラ」で出会いを求めたのが間違いでした！
58　新大久保の「立ちんぼ」街でコロンビアの女傑と一戦！

第2章 暴力と恐怖の超タブー地帯

64 裏稼業の事務所がひしめく歌舞伎町「ヤクザマンション」の怪
70 ノミを小指の第一関節に固定し……　ヤクザの「断指現場」に立ち会った！
77 女と一緒に〝覚せい剤〟も用意　「シャブ中ヤクザ」御用達デリヘル
83 ストレス・イジメ・薬物……　意外に多い「ヤクザ」の自殺

第3章 社会問題化する超タブー地帯

90 成宮君も来店!?　「コカインバー」の精神障がい、全身傷だらけの女
98 〝死体カメラマン〟が2年間潜入！　福島第一原発に集う魑魅魍魎

108 「急性外来」のスタッフが語る　精神病院の「天国と地獄」
116 消えた〝ホームレスの聖地〟　隅田川沿いの悲壮な現在
124 「偽装結婚」月5万円報酬で中国人女性にハメられた！
130 人骨を踏みつけて砕く作業も……　「囚人の遺骨」引っ越しバイト体験記
136 作業員が人柱として埋められた!?　最恐の心霊現場「朝鮮トンネル」
142 突撃取材！　新宿・歌舞伎町〝プチぼったくり〟居酒屋の実態
148 食のタブー！ ゲテモノ料理を食す！

第4章 老人たちの超タブー地帯

160 盗まなければ生活できない！　老人たちの悲壮「万引き」現場

168 「四国最強の風俗地帯」にある〝最果てのちょんの間〟潜入記

173 日本最安値！　1発2000円!!　浅草「老人援交」の敬老精神

179 現地ルポ
〝売春島〟渡鹿野島は伊勢志摩サミットで消えたのか

188 消えたタブー！
黄金町・真栄原・ススキノ・花畑・飛田・尼崎・徳島
日本の伝統的な裏風俗〝ちょんの間〟の絶滅危機

第5章 倒錯と変態の超タブー地帯

202 裏オプが蔓延、摘発は困難……「リアルJK」ビジネス最前線
207 女子小学生を中年男が取り囲む! 禁断の「ジュニアアイドル」撮影会
212 「警察御用達スナック」で目撃した〝狂気の宴会〟実況中継!
217 超有名人もハマった!? 禁断の「女装風俗」変態世界
222 目の前で堂々とシャブをキメる〝ヤク中〟女が集う「出会いカフェ」発見!
229 入会金100万円、一晩20万円「芸能人専門愛人クラブ」の内情
234 AV級の過激オプションが無料 激安!「変態デリヘル」の実態

[装　丁] 妹尾善史(landfish)
[カバー写真] 八木澤高明
[本文デザイン&DTP] 武中祐紀
[編　集] 片山恵悟(スノーセブン)

第1章 性と貧困の超タブー地帯

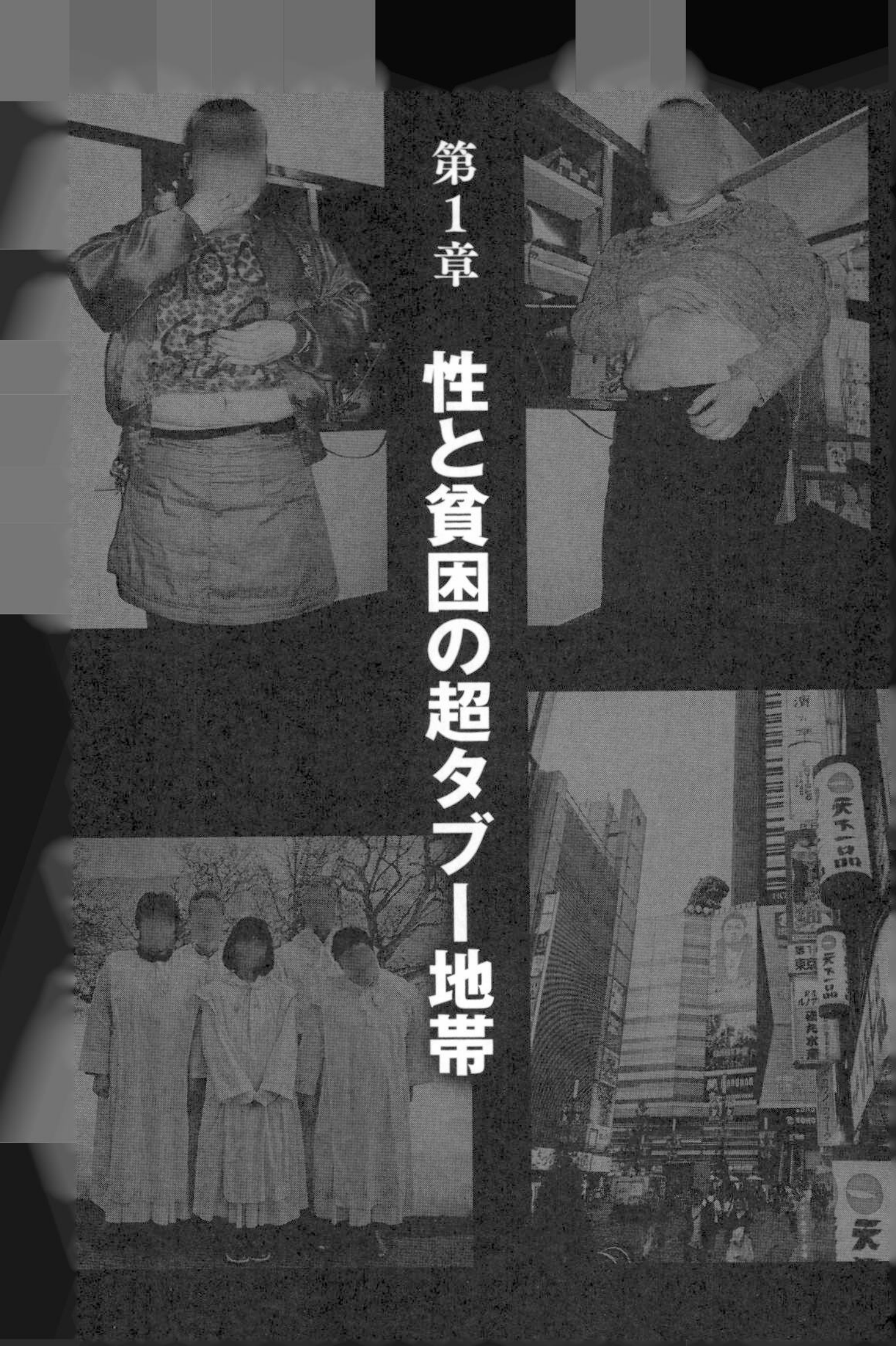

異常性欲者が集う変態居酒屋
池袋〝性の乱交場〟に潜入！

取材・文●中村淳彦

趣味と特技はセックスと豪語するホームレスの立ちんぼ中年女性

美子（仮名）さんは、48歳、バツなし未婚で、住所不定のホームレスだ。髪の毛はボサボサで脂が浮き、体型はポッチャリを超えてかなり太めだ。13年前から東京・池袋駅西口で街娼（立ちんぼ）をする。

「立ちんぼ？　北口にいるのは中国人と台湾人、日本人は西口駅前。私、趣味と特技はセックス。だから、毎日楽しいよ。けどね、糖尿病になっちゃった。原因は牛丼の食べすぎね。ホームレス生活はけっこう体力いるから、そろそろ生活保護を受けるかも。不摂生が続いて身体にガタがきた。原因は全部食べ物。13年間、全部外食だったから」

美子さんが寝泊まりしているのは、主に漫画喫茶だ。天井のある個室、シャワー完備なので快適らしい。彼女の1日は、朝10時の漫画喫茶のチェックアウトから始まる。

午前中は目を覚ますために、池袋駅周辺をひと回り散歩する。

そして、ランチタイムになる前、牛丼屋に入る。体調と財布の中身によって注文する牛丼のサイズは変わる。並盛もあれば、特盛を２杯いくことも。牛丼を腹に流し込み、軽く散歩をした後、13時前後から池袋駅西口前に立つ。美子さんのお仕事の開始だ。

彼女の立つエリアは、西口駅前のタクシーターミナルから池袋西口公園の一帯だ。売春するのは基本的に昼間で、他の日本人街娼も昼間のほうが多い。自分から声をかけることはなく、チラチラと目線を送りながら男から声をかけられるのを待つ。

「何時間か池袋西口で座っていたり、フラフラ歩いていたりすれば、遊ぼうとか、ホテル行こうとか、声かけられる。別に客は選ばない。基本的に誰でもいい。私に声かけてくるのはハゲオヤジみたいなのが多いけど、セックスは悪くないよ。オヤジは責めがうまいからね」

13年間、主食は牛丼。食べすぎで糖尿病に

売春価格は人によって異なるが、ホテル代込み１万円が相場だ。休憩３０００円で入れるラブホテルでセックスをする。

「40代前半までは景気もよかったし、ホテル代別で１万円だった。けど、今は値段が

下がってホテル込みで1万円。ホテル込みで7000円なんてこともある。時間は客によってそれぞれ、金も家もないからウザくないオヤジだったら、夕方とか夜までホテルにいる。お風呂とかゆっくり入ったりして」

売春するのは週6日。ただ、どうにか毎日1人は客をつけて、1日7000円を稼ぐことが最低限の目標だ。ただ、朝の牛丼から始まり、暇さえあれば食べてしまうのが美子さんの悩み。大好物の牛丼、マック、立ち食いそばをローテーションする。たまにお金があるとき、イタ飯屋で900円のランチを食べる。そんな生活を13年間続けていたら、糖尿病になってしまったのだ。

昼間に客を取ったあとはフラフラ歩いて時間を潰す。運よく2人目の客がつけば、ラブホテルで深夜までダラダラする。そして、24時になったら行きつけの漫画喫茶にチェックイン。美子さんの1日が終わる。

「そうだ。北口にスケベな人だけが集まる居酒屋があるの。なんて言えばいいかな、異常性欲居酒屋? ここからすぐだよ。おごってくれるなら連れて行ってあげるよ」

美子さんは言う。池袋駅北口に異常性欲者が集う居酒屋があるらしい。値段も高くはないそうだ。私は同行することにした。

パンツ一丁の男性を中年女性がヒモで縛る

池袋駅西口繁華街を通り抜け、北口のラブホテル街にその店はあった。30席ほどの店内は、満席に近い。男性と女性は半々。カウンターに男性店長がいて、チャイナ服姿のウェイトレスがいる。明るく普通の居酒屋だが、モニターからは太った中年女性が3人のハゲオヤジに輪姦される無修正映像が流れる。中年女性は性器を濡らしまくり、狂ったように喘ぐ。

どうも異常性欲者というのは男性客だけではなく、女性客もらしい。しばらくビールを飲んでいると、40代前半のサラリーマン男性が「ひゃーぁ」と悲鳴をあげた。スーツを脱いでパンツ一丁の男性を、隣にいた中年女性が店内にあるヒモで縛り出した。男性はメガ勃起しており、ブリーフから亀頭がはみ出している。

私が呆然としていると、真横で不穏な気配を感じた。振り向くと、酩酊した美智子（仮名）さんなる中年女性が密着してきた。隣に座り、膝を撫でてくる。「私はホント変態だよ。セックスしたくて、おちんちんしゃぶりたくて、よくここに来ちゃうの」と笑う。

38歳だという美智子さんの外見は普通のおばさんだった。職業は介護のケアマネージャー。彼氏とセフレは常に何人かおり、現在はそれぞれ1人ずつで、セフレはもう少し増やしたいという。

美智子さんの初体験は実兄との近親相姦

「セックス好きになったのは、じつの兄にセックスを教え込まれたから。小学校5年のときが始まりよ」

美智子さんは手を私の膝に添えながら、勝手に語り出した。

「兄は2歳上。兄も私と同じで友達付き合いが下手で、中学生といえば性に興味ある年頃でしょ。目の前にいる私に来たの。こたつの中に頭を突っ込んで、私のパンツを脱がして覗(のぞ)いたり、胸触ったり。私はイジメられっ子で、友達とか1人もいなかった。だから誰にも聞けないから、兄がやっていることが、いいのか悪いのかわからない。そのままずっとされるがまま。そのうち気持ちよくなった。毎日、毎日、触られて気持ちいい。それで性に目覚めたわ。

小学校6年の頃には親が買い物に行っている間に、『お兄ちゃん、お母さんいないよ』って自分から誘ってね。今のうちに私の身体を触れって。自分から求めるようになったの」

じつの兄に身体をひたすらいじられる関係が続く。処女喪失は中学2年のときだ。学校から帰ってくると、兄が全裸で待っていた。玄関でパンツを脱がされ、バックからズンと突かれた。

「痛かった。けど気持ちよかった。それから、お兄ちゃんと頻繁にセックスの関係を持つようになった。3年間くらい続いたかな。高校2年生まで、兄とこっそり毎日セックスみたいな。私はいじめられて、友達がまったくいない。兄も似たような状態で、それしか楽しみがなかったのかな。

毎日、毎日、学校から帰ってきて生セックス。もう何十回、何百回とやった。よく妊娠しなかったねって思う。セックス、毎日、毎日。学校から帰ってくると親はいるけど、兄が自分の部屋に私を呼ぶ。部屋に呼ばれて、声が漏れないようにタオルを口に突っ込まれる。裸にされて舐められてセックス。声出ちゃうとダメだから、その影響があって、私、今でもイクときに声が出せないの」

美智子さんが高校2年のとき、兄に恋人ができてフラれた。それから家にあるキュウリやニンジンを突っ込むオナニーを覚えて、セックス好きの異常性欲者になったという。とにかくセックスがしたいという欲望が延々と続き現在に至っている。

彼氏がいても結婚しないのは、たくさんの男とセックスしたいから。彼氏とセフレとのセックスだけでは足りないから、今もこの居酒屋に通っていると美智子さんは語った。

ハゲオヤジに手マンされ、美子さんは獣のような声を

縛られて勃起したサラリーマンは、パンツを脱がされ、亀甲縛りでガチガチにされ

ていた。メガ勃起したチンポが露わになり、縛った中年女性がスパンキングをしながらしゃぶっている。サラリーマンはアヘ声をあげて悶絶しまくっている。

そして、西口の立ちんぼの美子さんは、60歳くらいのハゲオヤジの隣にいた。「あふぅぅぅん」と大きな快感声を上げて、まるで獣のようだ。カウンターの下を眺めると鼻息荒いオヤジは、美子さんの股間を手マンしていた。モニターからは無修正の結合部のアップがひたすら続く。ドス黒い性器に激しくチンポが出入りする。動きが激しくなるほど、モニターの女性の快感声は高鳴った。

21時、池袋の片隅にある居酒屋は異常な熱気に包まれていた。

「彼氏?　いますよ。2人いる。双子のヤクザだけどね」

店内は入り乱れ、奈央(仮名)さんなる女性が私の隣に来た。39歳、無職で生活保護。なにもしない生活保護生活は退屈で、奈央さんも池袋の西口で立ちんぼをたまにするという。さらに刺激を求めてヤクザと付き合う。それでも足りずにこの居酒屋に足を運ぶ。無職でお金がない。飲み代はその場でフェラをして、誰かしら男性客におごってもらう。

「最初、彼氏は双子って知らなかったの。辰治(仮名)と竜二(仮名)っていうんだけど、見た目はいかにもヤクザ。パンチパーマでジャージ着て、サングラス、クネクネ歩くみたいな。最初は弟の辰治が立ちんぼの客で、ホテル別1万円だったけど、

『俺の女になれ』ってなった。セックスもうまかったし、まあ、いいかって。辰治は武闘派のすごくバカで、しのぎはカツアゲみたいなことをしている」

外見の違いはチンポのシリコン玉の数だけ

辰治は前科８犯、チンポにシリコン玉が２個ある。辰治のチンポのシリコン玉は、ちょうどＧスポットに当たって気持ちいいらしい。

「変なことになっちゃって。辰治と知り合って３カ月くらい、毎日毎日セックス。完全に溺れちゃった。ある日、辰治のアパートに行ったの。板橋区ね。そのとき私、我慢できなくて押し倒しちゃったの。脱がして騎乗位でしたとき、なんか感覚違うなって。ちょっと痛いし、変だなって。そしたら、その相手は辰治の双子の兄の竜二だったの。きゃはははは」

家賃４万５０００円の板橋区にある木造アパート。奈央さんは１週間くらいの禁欲生活で溜まっていた。玄関をあけて即押し倒し、ジャージを脱がして生挿入。しかし、それは兄の竜二だった。双子の兄は彼氏と瓜二つで、外見の違いはチンポのシリコン玉の数だけ。兄・竜二の11個のシリコン玉が痛くて、途中で別人と気づいた。しかし、しばらくピストンしているうちに慣れて気持ちよくなり、発射まで至ったという。漫画のような異常な話だが、半年前の実話だ。

「そのことを辰治にも話したけど、あーそうなんだ、って笑っていた。それから彼氏は2人になっちゃった。2人ともセックスが強いから好き。でも双子で3Pだけは嫌がる。したことないな。楽しそうだけど」

携帯に辰治の写真があるというので、見せてもらう。パンチパーマにジャージ、教科書通りのDQN（ドキュン）だった。生活保護なので飲み代がない。誰かしらにフェラする気満々だったが、彼氏が双子のヤクザなのが知られているのか、異常性欲の男性たちは奈央さんには近づいてこない。

栄養士兼デリヘル嬢の明美さんの抱える闇

悶絶する亀甲縛り姿のサラリーマンの隣に、ポツリと堅そうな風貌の女性が1人で飲んでいた。明美（仮名）さんは46歳、バツイチ。職業は特別養護老人ホームの管理栄養士で、この居酒屋の常連だ。神妙な表情で飲んでいたが、声をかけると普通に話してくれた。

「栄養士の仕事しながら、鶯谷のデリヘルで働いているんですよ。完全に趣味です。店からは絶対にダメって言われているけど、本番もしまくっています。私から頼むから、もちろん無料です。離婚して独り身になっちゃったけど、家族がいた頃より、今のほうが楽しい。自分らしいいし」

明美さんはお嬢様育ち。子供の頃から真面目一辺倒で、有名私立高校を卒業する。高校時代はクラスで一番地味で目立たぬ存在で、帰宅部。自宅に真っ先に帰ってはエロ漫画を眺めて妄想に浸っていた。

「ブスだから男の子とエッチみたいなことは、自分には関係ないことと思っていた。親が厳しくて親の全部言う通りに生活をした。凄く厳しい高校だったけど、私だけは荷物検査とか先生が全部スルー。この子は校則を破るはずがないって思われていたから」

29歳で見合い結婚、サラリーマンの夫との間に2人の子供が生まれる。だが、長女が幼稚園に上がる頃から、明美さんは虐待をし始めてしまう。

「髪の毛を引っ張って引き回すとか、まわし蹴りとか。ひどいことはひと通りした。いいお母さんでなければならないって、周りからも親からも散々言われて精神的に限界でした。男性経験は元夫が2人目で、ほとんど処女みたいな状態で結婚した。子供は可愛いけど、やっぱり邪魔になるときがある。旦那はなにも助けてくれない。子供が泣いたり、わがまま言ったり。我慢できないで虐待、そんな日々でした」

5年前、近隣の通報で児童相談所がやって来た。2人の子供は施設送りになった。家庭崩壊して、冷め切っていた夫とも離婚した。

チンチンを突っ込まれて精液まみれになりました

「この店に来たのは離婚してすぐの4年前。3人の男性がいて、私の口にチンチンを突っ込まれた。精液まみれになりました。世の中には、こんな楽しいことがあるんだってビックリ。ずっと二次元だけだったけど、セックスって実際はこんなに気持ちよくて、楽しいんだって。それから輪姦とかSMとか、どっぷりハマった」

23時、異常性欲者が集う居酒屋の宴は終わりを告げる。家路につく者、近くのホテルでセックスする者、行き先はそれぞれだが、みなどこかすっきりとした顔をしていた。

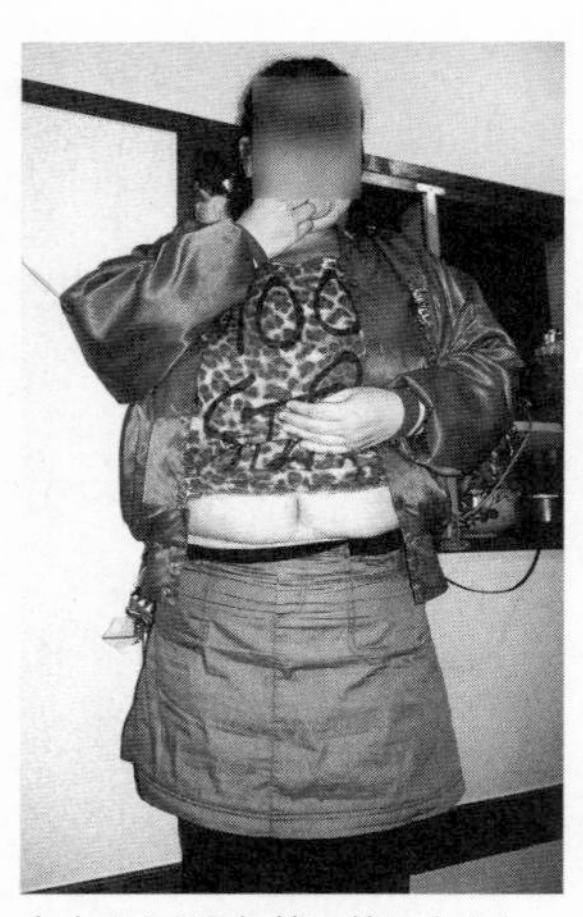

奈央さんは2年前に首に大きなコブができ、緊急手術をしてそのまま入院となり、それ以降、生活保護受給者になった。お金はないが、不摂生から体重は増える一方だという

中村淳彦
なかむら・あつひこ●フリーライター。『歌舞伎町と貧困女子』『私、毒親に育てられました』(ともに宝島社新書)、『貧困とセックス』(イースト新書)、『崩壊する介護現場』(ベスト新書)、『図解 日本の性風俗』(メディアックス)など著書多数。

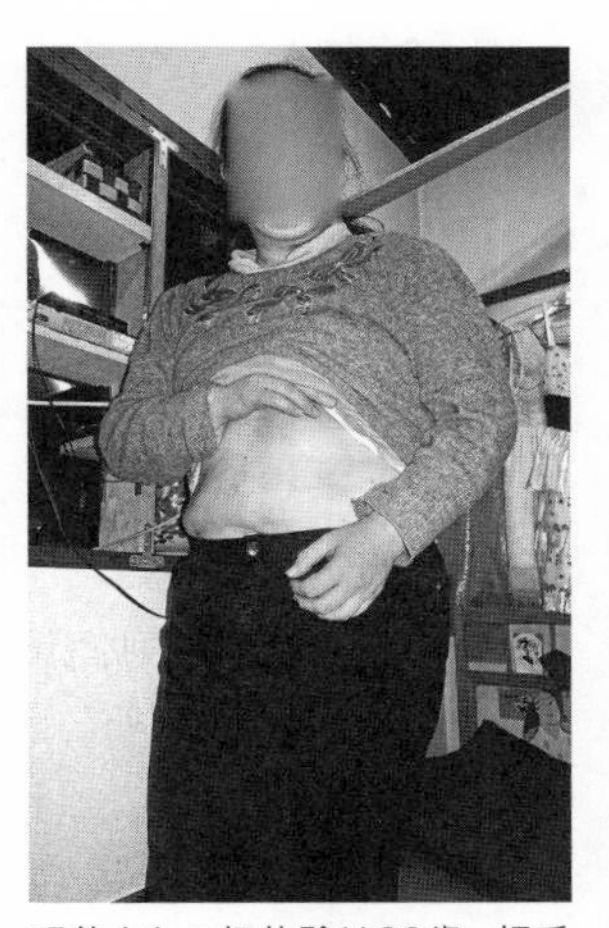

明美さんの初体験は26歳。相手の男性はオタクで、趣味が合ったから交際したがセックスはほとんどなかった。セックスの楽しさを知ってからは「肉便器」と呼ばれることが嬉しいという

極貧と障がいにあえぐ秋田「セックス教団」のいま

取材・文・撮影●大島大蔵

リトル・ペブル同宿会。2007年11月、リーダーのジャン・マリー（杉浦洋）が、『週刊ポスト』誌上で、女性信者との怪しげなセックス儀式を公開し、セックスカルト教団として話題になった。

もとは、オーストラリアの宗教指導者、リトル・ペブルの結成した聖シャーベル修道会の日本支部として活動していたが、教義にない独自のセックス儀式を行ったために除名。リトル・ペブルの支持団体として活動している。現在、彼らはどのような生活をしているのか？　共同体施設のある秋田県に向かった。

見渡す限りの雪景色。僻地の共同体施設へ

ＪＲ湯沢駅に到着すると、駅前に停められたミニバンから白い衣装に身を包んだジャン・マリーと短髪の女性が現れた。

思ったよりでかい。身長１８０センチを優に超え、体格もがっしりしている。言葉はやわらかいが、宗教グループのリーダー然とした威圧感を漂わせていた。短髪の女性はマリア・アントニア（以下、アントニア）。控えめだが、こちらも体格がいい。

彼らが共同生活をおくる施設は、湯沢駅から車で30分ほどの清水小屋（しみずこや）という集落にある。外壁に青いトタンが張られた古びた２階建て家屋。周囲は田んぼらしく、見渡すほどの雪景色だ。玄関のガラス戸越しに〝リトル・ペブルの「清水小屋」共同体〟と墨書された木製の看板があった。

二重構造の玄関の引き戸を開き、長靴や雪かき道具が置かれた土間を抜けて、共同生活施設内部に入る。

薄い引き戸を開くと、まず８畳ほどのダイニングがあった。壁一面に様々な張り紙や絵が飾られている。その奥にキッチン、左手に儀式を行う祭壇のある部屋がある。

「今日泊まるんでしょー？　恐くない？」

気さくに出迎えてくれた女性は、クララ・ヨゼファ・メネンデス（以下、クララ）。もともとアトピーがあり、拒食症のために身体が痩せ細っている。話題になったメディアの「セックス儀式」記事に登場したので、見覚えのある読者もいるだろう。

共同体のメンバーは、男性２、女性３の５人。ジャン・マリーが語るメンバーの特徴は、「超最低最悪」であることと言う。

「ぼくが受け持つのは超最低最悪の人たち。現役の売春婦、ヤクザ、売り専を受け入れる教会をつくろうと思ったけど、それ以下の、この世で二束三文の人たちが集まった。でも、超最低最悪なほど、〝神ちゃま〟（共同体内ではこう呼ぶ）から愛されるんだ」

まな板は牛乳パック。とことん節約生活

私が取材謝礼代わりに買ってきた食材で、カレーの準備をするクララ。まな板には牛乳パックを開いて干したものを使用。とことん節約生活のようだ。

2階から、眼鏡をかけた男性が下りてきた。彼はコルベ・マリー（以下、コルベ）。顔が異様に青白い。風邪気味で寝ていたそうだ。

残るメンバーは女性で全盲のリトル・マグダレナ。2階で寝ているという。

「リトル・マグダレナは糖尿病で脚も悪くてね、いつも1階で寝てるんだけど、今日、取材が来るので、緊張して唾液が出なくなってるんだ」

さぞ、体調が悪いのかと思っていると、ほどなくリトル・マグダレナが2階から下りてきた。

「ジャン・マリー！　チェックをお願い」

ともにトイレに向かうジャン・マリー。

「ぼくはリトル・マグダレナの生理ナプキン交換やお風呂の介助まで、全部担当してるから。もうすぐ生理が始まるんだけど、自分では見えないからさ。ぼくが全部確認してる」

トイレで女性器にティッシュを当て、血がどの程度つくかで、生理ナプキン使用のタイミングを判断するのだという。

一息つくと、ミサを見せてくれた。

「サタン出て行け〜」

ラテン語と日本語を交えた文言を唱え、哺乳瓶に入れた聖水をコルベやアントニアにふりかける。通常は朝の7時から13時までやるそうだが、特別のショートバージョンとのこと。終わる頃には、外は暗くなり、クララが調理するカレーの匂いが漂ってきた。

メインの収入は障害年金。共同体の月収は22万円ほど

テーブルの中央に炊飯器とカレー鍋を置き、それぞれが自身の分を準備。ジャン・マリーが祈りを捧げて、食事が始まる。カレーの具は、皮付きのじゃがいも、キャベツ、鶏の手羽元。手羽元は1人1本とのこと。みなが、片手に海苔を持っている。主食の他、野菜代わりの海苔をかじるのが基本スタイルのようだ。拒食症のクララは、

手羽元だけ食べる。

「こんなご馳走久しぶりです！」

どんぶりに山盛りのカレーにパクつくアントニア。とてもいい笑顔だ。米を食べるのは久しぶりらしい。「お米はめちゃ高いから、パスタとかインスタントラーメンが多いね。食費を削ればサバイバルできる」とジャン・マリー。車が必須な雪国であるため、光熱費や車の維持費がかかって、家計は火の車。とことん食費を抑えることが大事という。

共同体のメイン収入は障害年金だ。コルベとアントニアは1級の精神障害者手帳を持っているが、年金額が異なる。コルベは障害厚生年金3級で月4万8000円。アントニアは障害基礎年金2級で月6万5000円。

そして、全盲のリトル・マグダレナは、障害基礎年金1級に特別障害者手当がついて月10万8000円。あわせて、約22万円が共同体の月収となる。

“神ちゃま”が指導するセックスの儀式

食事を終えると、いよいよセックスの儀式が始まる。祭壇の前に布団を敷き、ジャン・マリーとアントニアが風呂に入った。

以前はジャン・マリーとクララが3年間、毎日、儀式をしていたが、現在の相手はアントニア。やり方も〝神ちゃま〟による指導があるそうで、それぞれ異なる。

クララの場合、性器を腹にこすりつけて射精し、その精液をコップに入れて祭壇に捧げる。また、その際、女性に性感を与えてはならないそうだ。

アントニアの場合、挿入して絶頂に達するまで性感を与えなければならない。そして、射精した精液は女性に飲ませる。つまり、ＡＶのようなセックスをするということだ。

風呂からあがって、全裸のまま祭壇に向かい、膝立ちで祈りを捧げるジャン・マリー。ふと、足の裏を見ると、全体が黄色みを帯び、厚いタコに覆われていた。かつて全国行脚したという伝道活動の名残であろうか。

数分して、そそくさと全裸のアントニアもやって来て、ジャン・マリーの隣へ。ほどなく、ジャン・マリーがアントニアに布団に仰向けになるよう促し、顔を押し付けてクンニを始めた。アントニアは顔をゆがめ、ふくよかな腹が波打つ。

儀式といえども、男女のカラミに大差はない。素朴な中年男女の夜の営みを覗き見ているような気分だ。続いて体勢を入れ替え、今度はアントニアがジャン・マリーのペニスを口に含んで奉仕する。２人とも局部は永久脱毛ばりにツルツルだった。

寝バックでジャン・マリーが生挿入。バイブでアントニアは絶頂に

隣室のダイニングでは、クララが、翌日に飲むサプリメントの準備をしていた。真横の男女の営みを、まったく気にするそぶりもない。セックスの儀式は生理のとき以外、毎日というから、もはや日常の一風景に過ぎないのだろう。

ジャン・マリーが、アントニアをうつ伏せにして、寝バックで挿入開始。ナマ挿入だ。続いて、正常位へ。数分、動いてペニスをアントニアの口元にやる……イッたようだ。従順に飲み干すアントニア。

そこで儀式は終わらなかった。ジャン・マリーは真横の棚から、白いタオルに包まれたピンク色のバイブを取り出し、アントニアの女性器に挿入。それまで顔を歪める（ゆが）だけだったアントニアが大きく喘ぎ始めた。すぐさま、額から汗が吹き出す。バイブの力、恐るべしだ。

無事、アントニアも絶頂に達した。ジャン・マリーはいたわるようにアントニアの全身の汗をタオルで拭く。「今まで取材のとき、ぼくは一度もオルガズムに達したことがなかったけど、今日は初めてイケたよ」と満足げなジャン・マリー。クララも「よかったねー！」などと祝福している。

中年男女にとって教科書的な、いたわりのあるセックスだった。だが、これは、あくまで儀式である。彼らは夫婦ではなく、男性は共同生活をおくる複数の女性と性関

係を持っているのだ。

「どうだった？」

風呂に行ったジャン・マリーを待っていると、クララが儀式の感想を求めてきた。正直、神聖な儀式という印象はまったくない。クララの場合は挿入なしの儀式だったので、また印象が変わるかもしれないが。

「あたしのときは素股だもんね。取材の人には、楽しそうって言われたかな。もともと不感症で、気持ちいいと思ったことないもん。あとアトピーがあるから、オリモノでかゆくなっちゃうのよ」

クララはあまりセックスが好きではなく、体育会系ばりの根性で儀式を乗り切っていたという。

旦那と仕事を捨てて共同体に参加

クララが共同生活施設で暮らすようになった理由を話してくれた。

「私の前の旦那が、ジャン・マリーを手伝っててね、時々、私の家に泊まりに来てたの。でも、町中で白い服着てたり、奇抜だから、旦那はジャン・マリーと距離を置くようになったんだけど、私は……ジャン・マリーの言うことが本当に思えた」

学生の頃からそれなりに恋愛したが、うまくいかなかった。一度目の結婚は離婚。

二度目の結婚も、相手への不満がつのったという。

「ずっと『〝本当〟ってなにかな？』って考えてたの。今まで付き合った人は、〝本当〟じゃなかった。でも、ジャン・マリーに『〝本当〟ってあるんだよ。それは神ちゃまだよ』って言われて信じたの」

クララは2人目の夫に、2泊3日の旅行に行くと伝えて、ジャン・マリーがいた共同生活施設に宿泊。そこで、「もう帰らなくていい」とジャン・マリーに言われ、クララは了承。その直後から、セックスの儀式が始まり、いろんな雑誌に取材されて露出が始まった。

「旦那や両親から連絡があったけど、ジャン・マリーは私を放さなかった。略奪愛だったのかもね。だからって、ジャン・マリーと結婚するわけじゃないし。旦那は絶対ショックだよね。嫁が素っ裸で雑誌に出てるんだから。いきなり裸になって写真撮られて、わけわかんなかった。考えたって、納得もなにもないでしょ。雑誌に出たのは私の性格。考えても仕方ないっていう」

クララは薬剤師の資格があるため、共同生活施設に暮らしながら働けると高をくくっていたが、「セックス教団」の一員であるとの噂（うわさ）はすぐに広まり、働き口は見つからなかった。

「私は適当な女で、キリスト教の知識が全然ないの。だけど、望みはヨゼフパパ（キリスト教における聖人。イエスの父）にギュッとされること。ジャン・マリーがそこに連れて行ってくれるから」

化粧水を買う余裕もないのだろう。クララの肌はアトピーで乾燥し、頬から粉が吹いている。家を飛び出してからすでに9年。一時の情熱は冷め、セックス儀式の相手も変わった。しかし、ジャン・マリーへの絶対的な信頼は変わらないようだ。

さきイカをツマミに巨大トリスで晩酌

風呂からあがったジャン・マリーが、巨大なトリスのお徳用ボトルを持ってきた。2階からコルベも下りてくる。時々、2人でチビチビやるそうだ。ツマミはさきイカ。アントニアとクララも、コーラでテーブルを囲む。

メンバーで、もう1人の男性であるコルベ。ジャン・マリーが他の女性と性関係を持つ様子を見て、思うところはないのだろうか。

「〝神ちゃま〟の命令だから、聖なるものとして見てます。ぼくはこの歳（54歳）まで童貞でオナニストなんですよ。ＳＭとか女子高生が好き。でも、空想のみで現実の女性との接点は持ちません」

コルベとジャン・マリーの付き合いは20年ほどで一番古く、共同体をつくることを提案したのもコルベという。雑誌『ムー』でリトル・ペブルの記事を見たことをきっかけに宗教にはまり、ある縁で知り合ったジャン・マリーの才覚に惚れ込んだコルべは、共同生活を頼み込んだという。

ジャン・マリーがトリスのストレートをなめながら回顧する。

「最初は断ったけど、三顧の礼みたいに何度も頼まれてね。コルべは対人恐怖症で、引きこもりで鬱病。歯も弱すぎてボロボロで、普通の食事もできない。クララが付き添わないと外出できないんだ。

ここの人たちは超最低最悪だから、横の繋がりをつくれないんだ。ぼくがそれぞれと信頼関係を持っているだけ。だから、ぼくが倒れたら、ここは全部終わりだよ」

外でタバコを吸い、戻るとダイニングのテーブルがどかされて、布団が敷いてあった。本当にテキパキしている。夜の10時をまわっていた。

翌朝、共同体にとっての聖地という寺沢（てらさわ）にあるキリシタン殉教慰霊碑に立ち寄り、湯沢駅へ。車を運転するアントニアがつぶやいた。

「あぁ……ご馳走……昨日のカレーは、夢だったのかしら」

ジャン・マリーを中心とした奇妙な共同体。ジャン・マリーの命が尽きたとき、残された彼女らはどうなるのだろう？　できれば、彼女らの夢が覚めないことを願う。

共同体施設は雪深い集落にある。グループ名はかつての「リトル・ペブル同宿会」から、現在は「リトル・ペブルの『ヨゼフパパファンクラブ』」に変更している

親からも客からも搾取される
沖縄「貧困少女」未成年売春

取材・文●金崎将敬

知らないおじさんとセックスしてお金をもらうのは普通と思っている

暖かさが残る沖縄の初冬、ほんの半年前に中学校を卒業したばかりの女の子2人と沖縄県北谷(ちゃたん)町の海で待ち合わせた。何度も会う約束をしては連絡が取れなくなり、この日は連絡を取るようになってから、ちょうど2カ月が経っていた。

胸元が開いたギャルっぽい服装をしている女の子2人がやって来た。「こんばんは、私たち夜型だからなかなか会えなくてごめんね」と、にっこり微笑む。名前は結花(仮名・15歳)と夏美(仮名・15歳)。

「今日は、売春について話が聞きたくて来たんですけど、売春しているんですか?」

いきなりのストレートな質問に、2人はためらいなく答えてくれた。

「うん。初めて売春したのは、中学2年生だったはず」と結花。

「夏美も結花と一緒だよ、援デリが最初だった。その後、松山(沖縄最大の歓楽街)で働いて、今は自分でお客さん探してるよ」

色白で透き通るような肌をした、少し太っている夏美から自然に〝援デリ〟という言葉が出てきた。

東京ではＪＫリフレやＪＫお散歩など、添い寝をしたり、おっぱいを触らせたり、セックスをする前の行為を女子高生にさせるサービスが話題となった。しかし、沖縄にはそのようなソフトなサービスを提供している場所はない。中学生・高校生くらいの女の子がオンナを売り物にしようと思えば、セックスをするしかないのだ。そのため、結花と夏美は、知らないおじさんとセックスをしてお金をもらうのが普通のことだと思っているようだ。

「結花の家は、母子家庭なんだけど、結花はお母さんと一緒に住んでないんだよね。お姉ちゃんと一緒に住んでるから自分のお小遣いは、自分で稼がないといけないじゃん？　化粧品買いたいし、洋服も買いたいし」

結花が援デリを始めた理由を話し出す。家庭の経済的な理由があってのことらしいが、夏美も同様だった。

「夏美のとこは、お母さんとお母さんの彼氏も一緒に住んでるんだけどさ、中学校卒業してから家にお金入れろってお母さんの彼氏がうるさいんだよね。でもさ、汚い客とヤったあとは、めっちゃ買い物したくなるからいつもお金ないよ（笑）。昨日、ドンキで5000円も爆買いしちゃったし」

周りがオシャレをし始めた中学2年生の頃、親を頼れない2人にメル友から〝稼げるバイト〟の情報が入った。2人で相談して、そのバイトに応募してみると援デリだった。

「最初は、おじさんとエッチするの抵抗あったけど、待ってる間の車の中では友達と一緒だし、2人目のおじさんくらいで慣れたよ」（結花）

「松山にも他の中学の同級生がいて、友達増えて楽しかったよね」（夏美）

那覇(なは)市の繁華街・松山まで、2人の地元からは車で約2時間かかる。中学生にとっては、決して近いとはいえない距離だ。

「地元（の繁華街）ではやりたくない。街が狭いからすぐみんなにバレちゃう。それに地元は母子家庭の子供ばっかだしさ（笑）。どうせなら松山まで行って稼ごうって」

中学生の女の子が往復4時間かけて、売春するために那覇市まで来るのは軽い出稼ぎのような感覚らしい。

深夜遅くまで2人の〝客に対する愚痴〟は続いた。2人一緒だとお互い聞かせたくない話もあるような雰囲気を感じ取ったので、後日、別個に会うことにした。

「親に迷惑をかけたくない」売春少女の気持ちを裏切る親

1カ月後、結花から「妊娠して、お客さんと結婚することになったから、あれ（売春）の話はできません」と連絡があった。つまり結花は客に生中出しをさせていたということか。

一方、夏美は個人売春を続けていた。「じつは、今、お母さんとお母さんの彼氏と、自分の彼氏も一緒に住んでるんだけど、自分の彼氏が働かなくて自分が叱られるんです」とメールが来た。

詳しい話を聞こうと思い夏美に電話すると、今にも泣き出しそうな声で語り始めた。

「自分の彼氏さ、38歳で、お母さんと同い年なわけ。しかも、元客だったわけさ。なんか、自分が彼氏にお金渡さなかったから殴（なぐ）られて、その後、お母さんとその彼氏にあれ（売春）やってたのチクられたわけ。で、お母さんの彼氏が自分の彼氏に怒って追い出したんだけど、売春するんだったら家賃払えって言われた。お母さん、最近、生活保護ってやつ受けてるから家賃かからないはずなのに、なんで自分が家賃払わないといけないのかな？　今月は6万円請求されたよ。しかもさ、彼氏からお金渡さないなら警察に売春チクるからよって電話あったってば。まじ病むよね」

夏美は親から搾取されている。母子家庭だから母親に金銭的な迷惑をかけないようにと思って始めた売春だったが、その結果、母親とその彼氏、また自分の彼氏からもお金をせびられていた。

沖縄県の離婚率は全国1位だ。そのうえ、若年出産は全国平均の2倍。夏美の話は極端かもしれないが、売春をしている女子中学生や18歳以下の女の子に話を聞くと、ほとんどの子が「親に迷惑をかけたくない」と答える。片親で親思いの女の子が多いのだ。

また、「携帯代や食費は自分で払っている」「今週は親に3万円あげたよ」など、親に尽くしている女の子も少なくない。貧困がゆえに、親が娘に売春させているといってもおかしくない過酷な状況が沖縄にはあるのだ。

醜い大人が未成年の少女を搾取。沖縄の貧困世帯の暗い現実

たまたま、出会い系でよく女の子を買っているという40代の男と接触することができた。「なにか飲みますか?」と、男が出した財布は手垢まみれでドス黒い。気づかれないよう財布の中を注視すると、くしゃくしゃの千円札しか入っていなかった。

「相手が未成年って気づいてもセックスはするよ。俺の友達なんかは、未成年だったら生中出しして、お金払わんで逃げるヤツもいる(笑)。ガキらは、少し脅せば巡査になんも言わんから(笑)」

なにが嬉しいのかわからないが男は得意気に話した。中学生や高校生くらいの女の子とセックスをした話は、武勇伝だと思っているようだ。以前、夏美に聞いた話が、この武勇伝男の特徴にピタリと当てはまる。

「なんかね、汚いおっさんにかぎって生でやろうとするんだよ。松山で働いてたときはさ、酔っぱらいのおっさんばっかりだったんだけど、まんこにめっちゃローション塗ってから入れられるから生なのか、ゴム着けてるのかわからないわけさ。だけど、自分なんか未成年だから強く言えないし、アフターピルもらいに病院行くのも恐いさ。1回、客の子孕(はら)んだときは大変だったよ。もう、毎日毎日、泣いてた」

無論、沖縄で母子家庭に生まれた女の子がみんな売春するというわけではない。しかし、生活が困窮している家庭の娘は売春に走りやすい。私の友人は、「中学生の頃から売春してるよ。家はお父さんがお母さん殴るし、2人とも働いてないからさ。もちろん、お父さんもお母さんも私が売春してるの知ってるはずだよ。お父さんから〝お前は売春しかできない子だ〟って言われて育ったからね。いつかはやめたいなって思ってるけど、私がずっと親にお金渡してきたから、いまさら親も働かないだろうね。今なんて、お母さんはただのアル中だし、お父さんはパチンコ代せびってくるからね（笑）。あいつら毎日、私が売春で稼いだお金で酒飲んでるよ」という話をされた。

売春をしている少女や売春をしていた女性は、沖縄では身近な存在だ。今回の取材で、沖縄の少女から明るい未来は、なに一つ見えなかった。そこにあるのは、自分勝手な醜い親の姿と、悲惨な少女たちの現実だけだった。

沖縄最大の歓楽街・松山の中高生が売春するピンサロがある通り。沖縄のピンサロは本番サービスも含まれる。違法風俗店のキャッチが声をかけてくるのもこの辺りだ

ガン患者、シングルマザーが売春
沖縄「最底辺」風俗のリアル

取材・文●金崎将敬

生活保護を拒否し貧困に。乳ガン治療を受けないソープ嬢

沖縄県那覇市の辻町は、性風俗店やラブホテルが密集する地域だ。辻町にあるソープランドで売春している女性を取材するため彼女の勤務先であるソープランドの前で待っていると、スタッフに声をかけられた。

「辻で女の子が立っていると変なおじさんに絡まれるから危ないですよ。店の中で待っててください」

どうやら、外に立っていると売春していると勘違いされるらしい。

「辻の女の子は、内地から出稼ぎに来てる子と地元の子がいるけど、内地の子はホストに遣うお金が欲しいからって理由がほとんど。地元の子は借金が多いかな、親とか男から虐待されて借金を返しています。沖縄の子は悲惨なのが当たり前ですよ」

と、スタッフが待合室に案内しながら話してくれた。フロントには、下着姿で笑顔

を向ける女性の写真が並んでいる。

「私、乳ガンなんです。診断を受けてから半年経ってるけど、ちゃんとした治療は受けていません」

少し遅れて待合室に入ってきた山城友香（仮名・38歳）さんは、丁寧な口調で語り出す。学歴は中卒で、18歳になってからは県内の風俗店を転々としていた。現在は沖縄県北部の某市でアパート暮らしをしながら、月に数回那覇市内のソープランドで働いている。

「普段は、出会い系サイトで知り合った男性からお金をもらってセックスしています。私の地元は、高速を使っても那覇から車で1時間以上かかるんです。毎日、那覇に出るのは大変だからあまり出勤できません」

沖縄は電車がなく、モノレールが走っているのは那覇市内だけだ。主な交通手段はバスか車だが、田舎に行けば行くほどバスの本数は少ない。また、遅れて来ることが多いため、使い勝手がよいとはいえない。そのため、どんなに困窮していても〝車を手放したくない〟という理由で、車の所有を許されない生活保護の申請を拒否する人が少なくない。

友香さんも生活保護申請を拒否している1人だ。

「友達から生活保護を勧められたことがあります。でも、お母さんが入院してるからお見舞いに行かないといけないのに、車がないと病院に行けなくなるし、那覇に出れなくなったらどうやって生活したらいいのかわからない。今だって家財道具を売りながら生活してるんです」

友香さんの場合、もう一つ貧困を選択してしまう理由がある。

「私が住んでるとこって本当に田舎で、すぐ噂が広まるんです。だからって誰かが助けてくれるわけじゃないし、貧乏ってわかったらバカにされるだけ。それなのに生活保護なんて受けたら今より惨めになるじゃないですか。なに言われるかわからない恐さより、保護を受けずにガンがひどくなるほうがましです」

沖縄の人は「情に厚く、穏やかな性格をしていて、他人に優しい」という本土からのイメージとは裏腹に、自分より立場が弱い人を見つけた瞬間、意気揚々と攻撃を始める。もちろん、家族に助けてもらえることもあるが、それでも徹底的にどん底に落ちてからだ。

夫のＤＶから逃げてきた売春シングルマザー

ある日、那覇市内のカフェで電話をしている女性を見つけた。電話の内容から推測するにシングルマザーだ。いかにも沖縄という感じの色黒で、体格がよいうえにぽっちゃりしていて、茶色の髪の毛が中途半端に伸びている不潔な感じ。不幸そうなオーラを出していた女性に声をかけてみた。

最初は警戒していた宜保ユキ（仮名・33歳）さんだが、1時間ほど話していると饒舌になった。

「じつは最近、離婚して沖縄に戻ってきたんです。元旦那も沖縄の人で、一緒に県外に出稼ぎに行って、そこで子供ができたから結婚しました。だけど、旦那が殴るようになったんです。子供が自閉症なんだけど、それも全部お前のせいだって。2人目を妊娠しているときも痣がない日がないくらい暴力を受けていました。で、我慢できなくなって子供2人を連れて、お財布だけ持って逃げたんです」

沖縄県のDV被害は、人口10万人あたりの保護命令件数が全国平均の2倍。つまり、彼氏や旦那から暴力を受けている女性が多いということだ。

「旦那から逃げて沖縄に戻ってきたのはよかったけど、持っていたお金は飛行機代でなくなったから泊まる場所がないし、子供にご飯を買うお金もなかったんです。コンビニに置いてある風俗の求人雑誌を見て、すぐお店に電話しました。お店の人からホテル代を借りて、その日の夜から子供を夜間保育園に預けて出勤しました。3カ月くらい経ってからやっとアパートを借りて、実家に連絡できる状態になったんです。今は実家を頼れるようになったから昼間の仕事を増やして、あまり風俗には出勤しなくなりました」

ここまで話すと、心なしかユキさんの表情が明るくなったように思えた。きっと、話し相手に飢えていたのだろう。

アルコール中毒にハゲ……。大腸ガンを抱えた激安ソープ嬢

後日、乳ガンの友香さんから紹介してもらった〝ガン友達〟の大城佐恵子（仮名・32歳）さんと会うことになった。

「遅れてすみません、あの……ビール飲みたくないですか？　私がお金出すんで、お寿司食べながらお酒飲みませんか？」

待ち合わせから3時間遅れて来たにもかかわらず、とくに悪びれた様子はなく、第一声が飲みのお誘いだった。しかも、呂律（ろれつ）は回っていないし、小刻みに震えている。明らかに様子がおかしかった。仕方がないので佐恵子さんが希望する寿司屋に移動することにした。

お店に着き、ビールが出てくると彼女はすぐに飲み干した。

「私、何年も前からアル中なんです。お酒飲んでないと震えが止まらないし、パニック起こしちゃうから。遅れて来たのに無理言ってごめんなさい」と、申し訳なさそうに話し出した。

「アル中になった原因は元彼です。私が大学生だった頃の彼氏なんですけど、殴る人

でした。車を運転しているときも殴るし、家で大学のレポートをやっていても殴るし、お金を渡さなくても殴る蹴る。たくさんお酒を飲んでいれば、痛みを誤魔化せるから飲んでました。

最初はキャバクラで働いていたからお酒代がかからなかったんです。でも、彼氏にお金を渡さないといけないからデリヘルで働くようになりました。だけど、待機中もお酒を飲んでるからお客さんからお金をもらってもホテルに忘れてきたり、迎えが来るまでの間に落としたりしちゃって、クビになったんです」

その後、様子がおかしいと気づいた両親が佐恵子さんを精神科に入院させた。しかし、アルコール中毒は、一時的に回復しただけだった。

「私は去年、大腸ガンの摘出手術を受けたんです。結構、大きくなるまで気づかなくて、毎日お酒飲んでいたからそれで体調が悪いのかなって思っていたんですよ。お酒でも誤魔化せない痛みになってから病院に行ったら即入院でした。退院してからは、少しだけキャバクラで働いていました。でも、またお酒を飲むようになってしまって、しょっちゅう遅刻していたんです。そしたら、給料日に渡された袋に1円も入ってなかった。お店の人は、遅刻したら罰金なの知ってるのに遅刻するお前が悪いって」

しかし、佐恵子さんが前屈みになった瞬間、給料が支払われなかった別の理由がわかった気がした。カチューシャで誤魔化しているつもりだろうが、はっきり見える。

てっぺんハゲだったのだ。そのキャバクラにとって佐恵子さんは、早くやめてほしい存在だったのだろう。

キャバクラでもデリヘルでも働けなくなった佐恵子さんは、現在、激安ソープランドに勤めている。そこでは順調に稼げているらしい。とはいえ、佐恵子さんが勤めているお店のスタッフの話によると、「ハゲてるし、老けてるからキャンセルされる。本人は気づいているかわからないけど、あの子だけ1本の日もあるんですよね（苦笑）。最近なんて、1週間連続でドタキャンですよ。もう、クビにしようかと思いました」と、かなりの酷評だった。

取材してから数日後の深夜2時頃、佐恵子さんから着信があった。

「聞いてください。誰に話したらいいのかわからないんですけど。大腸ガンが再発しちゃったんです。しかも、今回は肺にも転移していて、肺ガンもあるんです。高額医療の対象になるけど、最初に払うお金がなくて、病院に迷惑かけちゃうんじゃないかと思うと治療する気になれないんです。死にたくないけど、どうしたらいいと思いますか？」

時給換算すると700円、交通費支給なしの激安ソープ勤務の日々が続けば、確実に治療は受けられない。売春以外の仕事をするつもりはないらしい。なんともいえない状況に言葉が詰まる。

ふと、最初に話を聞いたスタッフの「沖縄の子は、みんな悲惨ですよ」という話を思い出す。彼女たちを見ていると絶望の淵に立たされているのに、危機感は持っていないように感じた。沖縄の風俗業界は、絶望的な状況が〝当たり前のこと〟なのかもしれない。

沖縄県那覇市の辻町は、ソープランドや無料案内所、ラブホテルが密集する歓楽街だ。県内、県外から多くのワケあり女性が仕事を求めて集まる

潜入！「歌舞伎町のテレクラ」で出会いを求めたのが間違いでした！

取材・文●金崎将敬

50代男性が貧困熟年女性を買う現代のテレクラは売春斡旋所

テレクラといえば、１９８０年代後半から１９９０年代にかけて社会問題化した〝援助交際〟の温床となった出会い系サービスだ。

楽しみ方はごく単純で、電話が設置された個室に通された客が、そこにコールしてくる異性と会話する。会話が盛り上がれば街中で落ち合い、あわよくばラブホテルなどに行き性行為に及ぶ。20年ほど前までは、10代の女子高生からのコールも珍しくなく、幅広い年齢層の男性たちが我先にとつめかけた。欲求不満な素人人妻とも容易に出会える〝最高の楽園〟だった。

だが、あれから時を経て、テレクラは大きく変わった。現在のテレクラに行っても、もはや女子高生からのコールはない。電話をかけてくるのは、売春目的の、いわばその道の「プロ」と言っていい〝貧困熟年女性〟ばかりだ。

客側も、50代以上の男性がメインで、金銭を介したビジネスライクな体の関係を露骨に求める。そこに昔のテレクラにあった、素人同士だからこそ生まれるトキメキやロマンスはみじんもない。自由意思に基づく〝売春斡旋所〟とさえ言えるかもしれない。

今回、そんなテレクラの現状をリポートすべく、記者は潜入取材を試みた。

2016年12月の平日14時過ぎ、記者は東京・新宿の旧コマ劇場跡の映画館近くにあるテレクラ「R」に足を運んだ。薄汚れた部屋に入り、黄ばみきった旧式の電話を取ると、早速1人目の女性に繋がった。

「もっしもーし！　ミナミです。お兄さん、今会える人？」

声を聞くかぎり、30代だろうか。ミナミと自称するこの女性は、不自然なほどテンションが高かった。それにしても、こんな平日の昼下がりに、なにを目的に電話をかけてきたのか。単刀直入に問いかけてみた。

「あのう、ワリキリで」

テレクラでは遠回しな表現などいらない。ワリキリ、すなわち売春目的だとミナミさんは堂々と明かした。さっきからカラスが鳴く声が、電話口からひっきりなしに聞こえてくる。外から電話をかけているのだろうか。

「そうそう！　今歌舞伎町をブラブラしてるの」

話し方も含め、それほど年を取っているようには感じられなかった。これは20代の可能性もあるぞ、と不覚にも興奮してしまった。そんなとき、ミナミさんが突然口を開いた。

「お兄さん！　テレクラにしてはずいぶん若いですよね？」

記者は35歳である。世間的には、もう中年の域に差しかかっているのだが、現在テレクラを利用する男性の平均年齢が50代だという事実を考えれば、たしかに若いほうなのかもしれない。

「35歳！　やっぱ若かった！　今バッティングセンターらへん。今日は仕事もないから時間たっぷりありますよー」

これは、記者を誘っているのだろう。こちらも望むところである。すぐ出ます、と伝えると、ミナミさんが条件を提示してきた。

「会って『ごめんなさい』とかはナシにしてくださいね！　あと、お金は先渡しで！　守ってもらえますかー？」

先方の要求額はホテル代別で１万５０００円だった。ミナミさんは、「今まで20人くらいとワリキリしてきたから、ブスではないよー」と自信満々だ。期待と不安が入り交じり、記者の電話を握る手が湿ってきた。

「ピンクのバッグで、髪はショートの茶髪。青いカーディガンにグレイのパンツです！　あ！　あとすっぴん！　すっぴんよ、わたし」

謎のすっぴんアピール（メイクなしでもキレイですという自信の表れか）に少したじろいだが、もう後戻りはできない。記者は待ち合わせ場所に指定されたバッティングセンター近くのスーパーホテル前に向かった。

ラブホ街に入ると、マスク姿でスマホをいじる女性の姿を確認することができた。あれがミナミさんだろう。しかし、まだ距離が遠すぎるため、その美醜を判断するまでには至らない。やはりどこかで期待している自分がいるのか、自然と早足になってしまう。これがテレクラの魔力なのだろう。そして、彼女に声が届くか届かないかの距離に来たとき、記者は思わず叫んでしまった。

「ミナミさんっ！」

声をかけると、彼女がパッと顔をあげた。マスクで鼻の下が隠れており、その全貌は定かではなかったが、記者の心を落胆させるにはそれで十分だった。顔も体型も元横綱の朝青龍のようで、年齢は不詳。失礼千万ながらガリガリの美少女を愛する記者の好みからはかけ離れていた。

「えー！　こんな若い人初めて！　いいの？」

幸か不幸か、ミナミさんは記者を気に入ってくれたようだが、彼女から発せられる香水、それも強すぎるトイレの芳香剤のような匂いと、圧倒的に戦闘力の高いその容姿に、記者はただただたじろいでいた。

介護士の収入では贅沢できずバッグ買うためテレクラ売春

ラブホテルの部屋に入ると、ミナミさんは慣れた手つきで服をハンガーに掛けた。ワリキリ慣れしているのだろう、シャワールームへ記者をリードしてくれた。ミナミさんの話し方は、少し訛(なま)っている。東京の出身ではないのかもしれない。

「そう！　話し方でわかった？　福島！　でも家族と一緒に東京に引っ越してもう10年近く経つんだけどね。で、今実家が歌舞伎町のすぐそばにあって、いつも男の人を家に呼んでワリキリしちゃうんで、ラブホってじつはひさびさなの」

シャワーを一緒に浴びながら、今現在の状況すべてに落胆している記者をよそに、ミナミさんの問わず語りが始まった。

「テレクラ歴は3年かな。5年前に離婚して、介護の仕事してるけど、全然稼げなくてさ。手取りは13万円で、実家に入れる家賃で6万円が消え、借金の返済で月に8万円が消えるの。で、テレクラやってるってわけ。バッグとか欲しいものたくさんあるのに、介護士だけじゃ買えないからねー」

シャワーを浴び終えると、照明を落とし、BGMを調整するミナミさん。徹頭徹尾、記者をリードしてくれるその姿は、完全にプロである。記者も「もはや、これまで」

と覚悟を決め、かび臭いシーツの上に仰向けに寝そべった。

ミナミさんが、記者の乳首を指先で軽くつまみながら身を寄せてきた。申し訳ないが、得体の知れない悪臭が鼻を突き、思わず吐き気をもよおした。

身体に巻いていたバスタオルを豪快に脱ぎ捨てるミナミさん。記者の目の前に、大相撲のテレビ中継でよく見るような貫禄ある裸体が現れた。ダルそうに左手で記者の愚息をもみほぐすと、ミナミさんはそれを口に含んでくれた。玉まで丁寧に舐め回し、熱い息を吹きかけてくる。

「ちんちん入りやすくする工夫させて？　一瞬で終わるから！」

ミナミさんはそう言うと、広げた手のひらに「カーッ、ペッ」とオジサンのように唾を吐き捨て、萎え始めた記者の愛息を肉壁に押し込んだ。ぬるく、しまりがなく、イケそうにない。次第に記者の男性自身は萎えてきてしまった。しかし、ミナミさんはお盛んだった。彼女は足を天井にあげるアクロバティックな体位で、「フンガッ」と鳴き続けた。

きっと渡した1万5000円は彼女が買いたいというブランドバッグ代にあてられるのだろう。かつてはテレクラでの出会いが恋愛関係に発展するというケースもあったようだが、それも今や昔。現在のテレクラを利用すれば、ミナミさんのようなセミプロの熟年女性の小遣い稼ぎに協力することになるだけなのかもしれない。

新宿・歌舞伎町、場末のラブホテルの昼下がり。荒すぎる桃色吐息をがなり立てる朝青龍みたいな女性にのしかかられている記者は、黄ばんだ天井と虚空をぼんやりと見つめながら、そんなことを考えていた。

全盛期には歌舞伎町だけでも10店舗以上存在したテレクラもいまや1店舗のみ。コールは早取りではなく、店員が各個室へと順番につなぐ取次制になった

新大久保の「立ちんぼ」街でコロンビアの女傑と一戦！

取材・文●金崎将敬

コリアンタウンの一角の多国籍「立ちんぼ」スポット

ＪＲ山手線で新宿から１駅のＪＲ新大久保駅周辺は、かつて韓国資本のロッテの工場があり、コリアンタウンとして有名だが、ラブホテルが建ち並ぶ風俗街としても有名である。そこにはアジア系のメンズエステや激安ヘルスなど、格安店が建ち並ぶ。

週末の22時頃、記者が大久保通りを早稲田方面へと歩を進めると、ラブホテルに挟まれた少し怪しいエリアがあった。40代のアジア系のお姉さんたちが、「マッサージいかが？」「お兄さん、ちょっと遊ぼう」と誘いの声をかけてきた。

大久保通りを左折し、池袋方面へ向かう。30秒ほど歩くと、深夜営業の韓国料理店と古いアパートに隣接した、空き家の前にたむろする４～５人ほどの女性たちが目に入ってきた。濃い化粧に、ふくよかな肉体を兼ね備え、年齢は40～50代といったところだろうか。

彼女たちの眼前を通り過ぎる記者に、「オニイサン、遊ぼう?」「オニイサン、話してこうよ」などと話しかけてきた。大久保通りで見かけるようなアジア系ではなく、南米系のように見えた。そのうち、最もふくよかな女性に話しかけ、出身を聞いてみた。

「アタシはアニータ（仮名）。コロンビアから来たよ。（左側を指して）こっちはブラジル。韓国もアッチ行けばいるよ。値段はゴム付きで1万円。口もするけど、ホテル代は別。お金がないなら、カラオケでもいいよ。行きましょ、カラオケの店に連れてくわ」

カラオケ代は1000円程度だという。交渉が成立し、記者はアニータとともに歩き出した。しっかりと顔を確認すると、やはり南米系の黒さ、マフィアの男みたいな顔。でも声を聞くかぎりやっぱり女らしい。白いニット帽をかぶるアニータは、〝戦闘力の高い女傑〟という印象で、セクシーというよりはむしろ男らしい。記者はいつ日本に来たのか聞いたが、「そういう話はあとでね」とかわされてしまった。だが、カラオケ店で受付を済ませ部屋に入ると、アニータは自然と身の上話を始めた。

「最初は沖縄にいたんだけど、15年前に離婚を機に上京したの。しばらく川崎のスナックで働いてたんだけど、そのときのお客さんだった会社社長と再婚した。だけど、旦那の会社がまた傾いちゃって借金ができた。ちょうどいいやって思って離婚して、今は学生の子供2人と一緒に新大久保の近くに住んでいる。養育費が足りないから立ちんぼしてワリキリしてるの。もう子供も慣れてるから全然平気だよ。そんなことより、早くエッチなことしようよ。最初は口でスルから脱いで」

「ほうら、気持ちいでしょ? ほうら? ほうら?」

店員がドリンクを運び終わったことを確認すると、アニータは慣れたように室内の照明を落とした。カラオケのモニターから流れているのは宣伝チャンネルだ。記者はベルトに手をかけ、言われたとおりに下半身を露わにした。その間、アニータはドアノブにコートをかけ、外の廊下から部屋の内部が見えないように工作を施した。

アニータに「はいはい、端っこに座ってネ」と赤子を諭すような口調で言われた記者は、廊下から見えない壁沿いの死角へと誘導された。アニータによるフェラが始まった。ジュボジュボと卑猥な音がカラオケルームにコダマした。

「じゃあ、挿れちゃう? 大丈夫、大丈夫。ナマ、大丈夫!」

大丈夫というのが、アニータの口癖のようだ。むりやり挿入させられそうになったが、記者としては全然大丈夫じゃなかった。すぐさま持参していたコンドームを取り出し、チンコに被せた。そして、やっと挿入した。座位でピストン運動が始まった。アニータの両太ももの付け根には、アザかシミのようなものがあり、とても黒ずんでいた。

「ほうら、気持ちいでしょ？　ほうら？　ほうら？」

正直、それまで萎えた気持ちでいっぱいの記者だったが、アニータにそう言われると、不思議なもので、なんだか気持ちよくなってきてしまった。10分ほど腰を動かし、記者は絶頂を迎えた。

「ああ〜イっちゃたネ。洗うなら部屋出て左曲がった所にトイレあるから行ってきてイイよ」

記者にトイレの洗面台でチンコを洗う勇気はなかったが、アニータの思いやりは嬉しかった。どうやら気に入ってもらえたようだ。一戦を終えた記者は、アニータに代金を渡した。心地よい疲労感に包まれながら、余韻に浸っている記者に、アニータはこう言った。

「それにしてもオニイサン、いい男だよね〜。一緒に飲みたいよ！　おごってよ！　私お酒大好きだから」

燃えたぎるようにアツい南米の夜は、まだまだ続くようだった。

第2章

暴力と恐怖の超タブー地帯

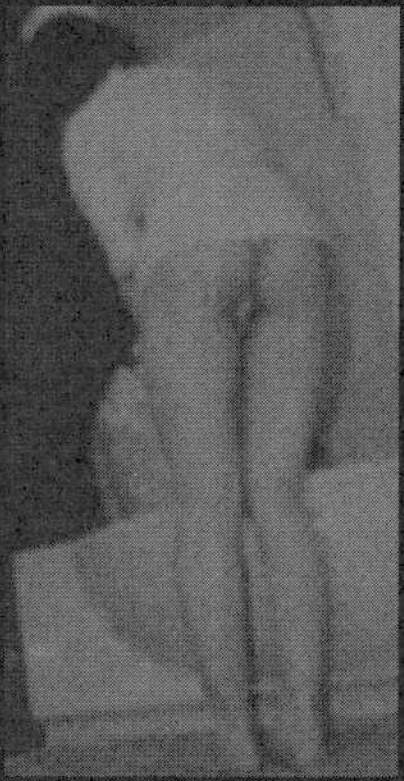

裏稼業の事務所がひしめく歌舞伎町「ヤクザマンション」の怪

取材・文●金崎将敬

日本で一番〝人が死んでいる〟マンション

暴力団とハグレ者グループの抗争を描いた山本英夫の漫画『殺し屋1（イチ）』の冒頭に、印象的なシーンがある。歌舞伎町の交番に配属されて3日目の新入警察官と先輩警官が、パトロール中にこんなやり取りをしている。

「こんな歌舞伎町のド真ん中に普通のマンションがあるんスね――しかも周りはラブホテル街じゃないっスか。一般市民が住んでるんですか？」

「ん〜〜〜一般っつーのかなぁ〜〜〜まぁ、このマンションにはあまり関わんねーほうがいいな」

「なんでっスか？」

「ここは〝ヤクザマンション〟って呼ばれてんだ」

この後、漫画のなかでは、ヤクザマンション内で数々の猟奇的な殺人事件がくり広げられていく。2001年に三池崇史（たかし）監督で映画化された際には、過激な暴力シーンのため、アダルト作品以外では初のR－18指定となった同作品だが、徹底した取材に基づいているだけあって、まったくのフィクションというわけでもない。このヤクザマンションには、実在のモデルがあるのだ。

ヤクザや裏稼業の事務所が多く入居し、歌舞伎町の東方にそびえ立つレオンマンション（仮名）は、日本で一番人間が死んでいるマンションといっていい。何十人、あるいは何百人もの人々がこのマンションで姿を消していると見られたが、飛び降り自殺や転落死がわずかに立件されるのみで、ほとんどは闇に葬られ真相がわからないままだ。

こうした殺人・行方不明事件のすべてが、ヤクザ絡みというわけではない。レオンマンションに居を構えるヤクザたちの間では、「マンション内でのトラブルは避けるべき」という不文律が徹底されている。ヤクザたちがこのマンションで、いざこざを起こすことはむしろ稀だ。

トラブルが多いのは、不文律を共有しないヤクザ以外の裏稼業の人間たちだ。元オレオレ詐欺経営者の内田和彦（仮名）氏の相方だったA氏も、レオンマンションで姿を消した1人だ。

A氏は、出し子から受け取った現金8000万円ほどを、レオンマンションに保管していた。失踪前日、A氏は内田氏らと会食し、「それじゃ、明日もよろしくお願いします」と言ってレオンマンションに帰っていった。

だが、次の日、連絡が取れないことを不審に思った内田氏がマンションを訪ねると、タンスに隠したカネとともにA氏は消えていた。内田氏が証言する。

「これからもっともっと稼げるのに、たかだか8000万円で飛ぶこともないでしょう。Aの彼女にも聞いたんですけど、それから一切連絡が途絶えてるって言ってました」

A氏は何者かに拉致され、カネを奪われたあとで殺されたのだと、内田氏は推測する。

「どこかに埋められているかもしれません。冷たい土の中で成仏できずにいるかと思うと、気が気じゃありません。遺体が早く見つかって、葬儀に出してやれればいいのですが」

6年経った今もなお、A氏の消息は不明のままだ。

強盗団による偽装自殺や詐欺グループの襲撃事件も発生

レオンマンションに入居する裏稼業の事務所は、会議や談合、打ち合わせのアジトとして使われるだけではない。住所不定者や不法滞在外国人などの住居としても使われるほか、拉致監禁やヤキ入れなどの暴行現場となることさえある。

膨大な部屋数のわりに廊下やベランダが狭く、手すりが低いため、レオンマンションでは自殺に見せかけた殺人が容易にできてしまうと、中国人強盗団の元情報提供者・木村正夫（仮名）氏は打ち明ける。

「ウチらは、セキュリティの甘い資産家の情報を収集し、中国人強盗団に流すことでカネをもらっていたのですが、仲間の1人が配分をめぐるトラブルで殺されました。酔っぱらわせて、2～3人でベランダから落とせば、簡単に自殺を偽装できます。このマンションとは言えないけど、私も目の前で目撃しました。そんなことが、ヤクザマンションではよくあると聞きます」

新宿警察署の刑事課OBも、レオンマンションで起きる転落死の多くは、殺人の疑いが強いと指摘する。

「疑わしきは罰せず、というのは普通のマンションでの話です。犯罪の巣窟であるレオンマンションで起きた事故は、まず事件性を疑ってかかれと署長から言われました」

詐欺グループの事務所も多く、そうしたグループ間の抗争もマンション内で発生しているらしい。架空請求詐欺で荒稼ぎしていたBグループが、対立するCグループからの襲撃情報を察知した。そこで、Bグループは先手を打ち、襲撃を受ける前にCグループを〝逆襲撃〟した。抗争は殺人事件にまで発展し、主犯となった3人には死刑が宣告されたという。

木を隠すなら森の中という。裏稼業に生きる者たちの事務所の選び方である。アウトローたちが閑静な住宅街のマンションに事務所を持てば、目立って仕方がない。しかし、カネと欲望が入り乱れる東京のジャングル・新宿歌舞伎町に拠点を置けば、絶えることのない人混みと雑然とした路地裏に紛れ込み、身を隠せる。

レオンマンションは、そんな裏稼業の人間たちの巣窟であり、隠れ家なのだ。

歌舞伎町の東側に位置し、新宿駅へも徒歩圏内のレオンマンション。周囲の住民や不動産関係者の間では、ヤクザマンションと呼ばれており、一般人の入居希望者は少ない。そのため、好立地にもかかわらず、家賃は1ルームで6万円代と格安だという

ノミを小指の第一関節に固定し……
ヤクザの「断指現場」に立ち会った！

取材・構成●金崎将敬

東日本大震災の前年の暮れのこと。中部地方のあるホームセンターでまな板とプラハンマーをカゴに入れた清水今日子（仮名・当時29歳）さんは、銘木売り場に陳列されているノミを物色していた。これから自分の彼氏の断指現場に立ち会わなければならないという状況だった。「これかな」と刃の部分が小指の2倍ほどの幅があるノミを選ぶとすぐさまレジへ。会計後、覚せい剤でヨレて、所属する暴力団組織の事務所当番をバックレている彼氏のタカシ（仮名・当時33歳）と一緒に住むアパートへ向かった。

まな板とノミとハンマーの3点セット。これは暴力団員が指詰めをする際に使う定番の道具だ。なぜ彼女がこの道具を知っていたかというと、これまで幾度も断指の現場に立ち会ってきたからだ。以下の文章は今日子さんの独白となる。

最初の「断指現場」目撃は19歳。叔父から止血を手伝わされ……

私が初めて指を詰める場所に居あわせたのは、19歳のとき。建設会社を経営していた叔父の事務所で、ある従業員がまだ（暴力団）組織を抜けていない状態で働いていたんです。それが所属していた組織にバレて、ケジメとして指を要求されたそうです。叔父から「指詰めした後、ひどい怪我になるから処置を手伝ってやってくれ」と頼まれたので、指詰めしているのを黙って見て、止血してあげて、病院まで車で送りました。それが最初の体験です。

その4年後、2回目の断指現場は女友達のものでした。その友達はヤクザでもないチンピラ風の男と付き合っていたんですが、浮気したことに怒って男が彼女の小指を切断してしまったんです。彼女に助けを求められて現場にいた私は、必死に止めたんですが、無理でした。キレイにデコられたネイル付きの指がまな板の上に転がったときのことは、今でも忘れられないです。それでも彼女は男と別れないで、ずっと一緒に暮らしているから理解に苦しみます……。

私は、タカシと付き合う前、あるヤクザの組長の愛人だったことがあるんです。その組長は、「出世する親分の身体は案外きれいなものだ」といつも話していて、実際自分の指は全部そろっていたし刺青も入れていなかった。でも、若い頃に親分の女に手を出して、指を持っていかなきゃ収まらないことがあったそうですが、繁華街のホームレスから3万円で小指を買って、自分の小指には包帯を巻いて浮浪者の指を渡して親分に謝り、ごまかしたと言っていました。

3週間ぐらいあとになって親分から「なんでお前指があるんだ?」と言われたらしいのですが、怒りは収まっていたそうで、「お前もやるな」で済んだそうです。でもその組長は、「事務所に飾っておくと箔が付く」と言って自分の下の組員の指はすぐ取るんです。ずらっと並んだホルマリン漬けの指の瓶を自慢げに見せられました。

シャブ中の彼氏のせいで自分の指も落とされそうに

そういうことがあったので、私にとって指詰めは当たり前とまでは言わないですが、「まあ、そういうこともある」というぐらいの感覚だったんです。

でも、まさか自分の指が取られそうになるとは思っていなかった。彼氏だったタカシが指を詰めたときの話です。タカシは当時、兄貴分の鈴木(仮名)さんのお世話になっていました。鈴木さんは侠気っていう感じがする、薬物を嫌う面倒見のいい人で、私もよくしてもらってました。あるときタカシが覚せい剤でおかしくなってしまい、事務所当番に出られない状態が1週間ほど続いてしまいました。組の人が何度電話をしてきても、タカシは出られません。私たちが住んでいたアパートのドアもしつこく叩かれましたが、それでも居留守を使ってバックれ続けていたんです。すると、ついに鈴木さんが激怒して私の携帯に電話をしてきました。

「おい、今日子、部屋にいるのはわかってるぞ！　なんで出ないいんだ！　なんでもいいからタカシを外に連れ出せ」と言われたのですが、ヨレて出られる状況じゃない。でも、「いいから出てこい。○○に○時に来い！」と、有無を言わさぬ口調でした。

私は「タカシ、もうダメ。行かなきゃマズいよ」と説得しました。タカシは「だな……。じゃあ今日子、チャカと刃物を用意してくれ」と言うんですが、そんなもの急には用意できません。なので台所にあった包丁を渡して、２人で（覚せい剤を）追い打ちしました。

そして私が車を運転して、ズボンのお腹の部分に包丁を差して上着で隠したタカシと一緒に指定された場所へ向かいました。そこは峠道からさらに脇に逸れた誰も通らないような場所で、私たちが到着して間もなく、鈴木さんたちが黒いアルファードでやって来ました。人数は４人だったと思います。「あんた行きなよ」と言うと、タカシは１人で降りていき、そのまま鈴木さんに斬りかかったんです。もう完全におかしくなってました。

幸い鈴木さんは軽傷だったけど、私たちが部屋に逃げ帰ったら、また私の携帯に電話がかかってきて、「指を持ってこい！」と言われたんです。さらには「お前もなんでタカシを止めないんだ！　お前の指も持ってこい！」とまで……。

私からすれば、すべてはタカシの薬物へのだらしなさが招いたこと。「なんで私まで指取られなきゃいけないの。あんたが2本落としなさいよ！」と言って、カーテンの隙間から外の様子をうかがったり、知り合いに怪しい車がいないか見回ってもらったりして、誰もいないことを確認してから1人でホームセンターに必要な道具を買いに行ったんです。

指を詰める前にタカシに作業着を着せて、病院に「仕事で指を落とした」ことにしようと提案しました。それなら保険が使えるからです。あらかじめ病院に電話をして、「彼氏が仕事で指を怪我したんです。今から看てもらえますか？」と確認を取ってから指詰めをする場所に向かいました。

しばらく車を走らせて選んだのは河川敷の高架下です。タカシの小指の付け根をゴムできつく縛って、私の手でノミを小指の第一関節のところに固定して、タカシにハンマーを持たせて「一気に叩いて」って言いました。タカシがハンマーを打ち下ろすと、コツンと乾いた音がして、小指はきれいに切断されました。

病院で処置をしてもらった後、鈴木さんに電話すると意外なほど穏やかな口調で「なにかちょうどいい空き瓶持ってないか？　それに入れて持って来てくれ」と言われました。ちょうど家にあった風邪薬の小瓶にタカシの小指を入れて、鈴木さんに手渡す場所に立ち会いました。

鈴木さんはその後、すぐに親分に会って、その指を渡してタカシの失敗を取り繕ってくれたんです。鈴木さんには感謝しかありません。タカシはその後持ち直して、小さいですけど、自分で組を構えるようにまでなりました。

タカシが指を詰めた後、ちょっと面白い話があるんです。タカシの指は、しばらくは本部の事務所に私が用意した風邪薬の瓶に入れたホルマリン漬けの状態で保管されていたそうです。それがある日、事務所に置いておけなくなって、「各自保管」ということで返されたんです。タカシは自分の事務所の神棚に指が入った小瓶を祀（まつ）って、大事に保管していました。今でも飾ってあるかもしれません。

私にはわからないけれど、ヤクザの人たちにとって、小指ってなにか私たちの思う以上に大事な意味のあるものなのかもしれないですね。

昭和を生き抜いたヤクザにとって小指の欠損はある種の象徴だった。今では組織を抜けるにしても示談金を払うようになっているという（写真はイメージです。本文とは関係ありません）

女と一緒に〝覚せい剤〟も用意「シャブ中ヤクザ」御用達デリヘル

取材・構成●金崎将敬

今年33歳になった小室祥子（仮名）さんは2年前に覚せい剤取締法違反で二度目の逮捕となり、刑務所へ送られ、先月出所してきたばかり。出所以来、覚せい剤には手を出していない。だが、いつまでやめていられるか不安を感じている。セーターの袖をまくると、肘から下は綺麗だが、上腕の内側に注射痕がびっしり残っていた。

「10代で覚えて以来ずっと注射です。ここ（上腕）だと警察も見ないんですよ。他には腰とか足首にも打ってました」

彼女は21歳のときにデリヘルで働き始めて以来、複数の風俗店を渡り歩いてきた。店舗型もあったが、主にデリヘルで働いた。最後に在籍していた栃木県の「モンテローザ」（仮名）というデリヘルは、シャブ中ヤクザ御用達という信じがたい店だった。

「女の子だけじゃなくて、シナモノ（覚せい剤）もデリバリーするから人気でした」

公に覚せい剤のオプションが謳（うた）われているわけではないが、口コミにより常用者の間では知られる存在だったという。以下の文章は祥子さんの独白となる。

待機部屋にパケと注射器ヤクザの客もシャブ中

初めは違うお店で働いていたんですが、オーナー同士に繋がりがあったので、モンテローザにはヘルプでときどき行っていたんです。マンションの一室が女の子の待機部屋と事務所になっていたんですけど、ある日、マネージャーがキッチンで覚せい剤をあぶっているのを見ちゃったんです。でも見られても全然気にしてなくて、「祥子ちゃんもやる?」と言ってくるんです。マネージャーは「このマンション、上に売人が住んでるんだよ。欲しかったらあげるから、いつでも言ってね」とか言いながらガラスパイプを咥えてライターで覚せい剤を煙にして吸ってたんです。

覚せい剤はずっと好きだったけど、その頃はいつでも手に入るわけじゃなかったので、それを聞いてモンテローザに移籍しました。毎日出勤してたから待機部屋も個室をあてがわれて、そこに注射器とか道具も一式そろえておきました。シナモノは「ちょうだい」って言えばいつでももらえましたよ。

お客さんと使うようになったのは、別にお店からそうしろと言われたわけじゃないんです。ただ、やってる人同士ってなんとなく雰囲気でわかるんですね。ある日ホテルの部屋に行ったとき、お客さんが道具をテーブルの上に堂々と出して「祥子ちゃんもやる？」って言われたのがきっかけでした。筋彫りっていうんですか？　色は入っていないけど、全身に刺青を彫ってるいかにもヤクザっていう感じの人。そういうお客さんに何度も当たって「知らないの？　このお店はシャブOKっていうのがウリでしょ？」って言われて、ああ、そういうことかと。話したわけじゃないから他の女の子たちのことはわからないけど、明らかにやってるなっていう感じの子は何人かいました。

覚せい剤を使うお客さんのいいところは、とにかく時間が長いから延長料金がたくさんもらえること（笑）。シャワーを浴びてる間に財布の中身をチェックして、どれくらいまでなら払えるか確認してからプレイしてました。ただ覚せい剤を使うとあまりちゃんと勃たないから、ずっと口でさせられたりするんです。最長は5時間。こっちも覚せい剤を使ってないとまず付き合えないです。

たいていは射精までいかないですけど、覚せい剤を使ったセックスって、イカなくてもすごく気持ちいいんです。だからやめどきが難しいっていうのもあるんですけど、「1回お風呂入ろうか？」って一緒にお風呂に入って落ち着かせて、「続きはまた今度にしよ」って精算モードに持っていってましたね。

覚せい剤に慣れていない客にもナースコスプレでシャブを注入

「本番をしろとは言わない。するかしないかは任せる」ってお店には言われてましたけど、実質本番店でした。時間が長いという以外では、プレイ自体は普通のお客さんとそんなに変わらないかな。ただ、コスプレをしてほしいっていう人は多かった。あとはオモチャをいっぱい持ってきて、ひたすら攻め続けるだけの人もいた。攻めてるだけでいいのかなって思うし、こっちも終わったらぐったりしちゃうけど、でも満足そうに帰って行って、また来てくれる。あと、女の子みたいな声を出して感じるお客さんもいました。40代の強面(こわもて)の全身に刺青の入ったヤクザなんですけど、乳首を舐めながら手でしてあげると、「あん、あん」って高い声でよがるんです。

お客さんは注射すること自体が好きな人が多かったですね。一度にたくさん入れないで、少量をちょこちょこ入れるんです。針を入れるのが快感なんだと思います。そのときよく出回っていた注射器で、5メモリのところまでを数時間おきに打つんですね。私はできるだけ長時間効いてるように、15メモリ打ってましたから、3倍です。

端から見たらどうかわからないですけど、私的には、覚せい剤でヨレたりテンパったりという自覚はないです。身体に合っていたんだと思います。覚せい剤に慣れてない人もいて、そういうお客さんには注射を打ってあげたりもしました。ナースのコスプレで注射をしてあげると喜ぶお客さんもいましたね。

お客さんのなかには怒りっぽくて乱暴で危ない人もいましたけど、そういうときはすぐお店の人に電話をしてホテルまで来てもらいました。警察にバレたらヤバいので、お店の人が来ると大人しくお金を払って帰って行きます。それ以降は出禁です。

何度か来てくれる人で売ってほしいという人には、0・2か0・3グラムぐらい入ったパケを売っていました。値段は相手の経済状況によって1万円から3万円ぐらいの間で変える。私はシナモノをもらえたので、その分は副収入。けっこう稼げましたよ。

覚せい剤をやらない普通のお客さんも来るんですけど、財布の中をチェックしてお金があるようなら飲み物に覚せい剤を混ぜて延長に持ち込むようなこともやってました。リピート率は抜群。ひどいですよね。みなさんもデリヘルを利用する際は、シャワー中の財布と飲み物には注意してくださいね（笑）。

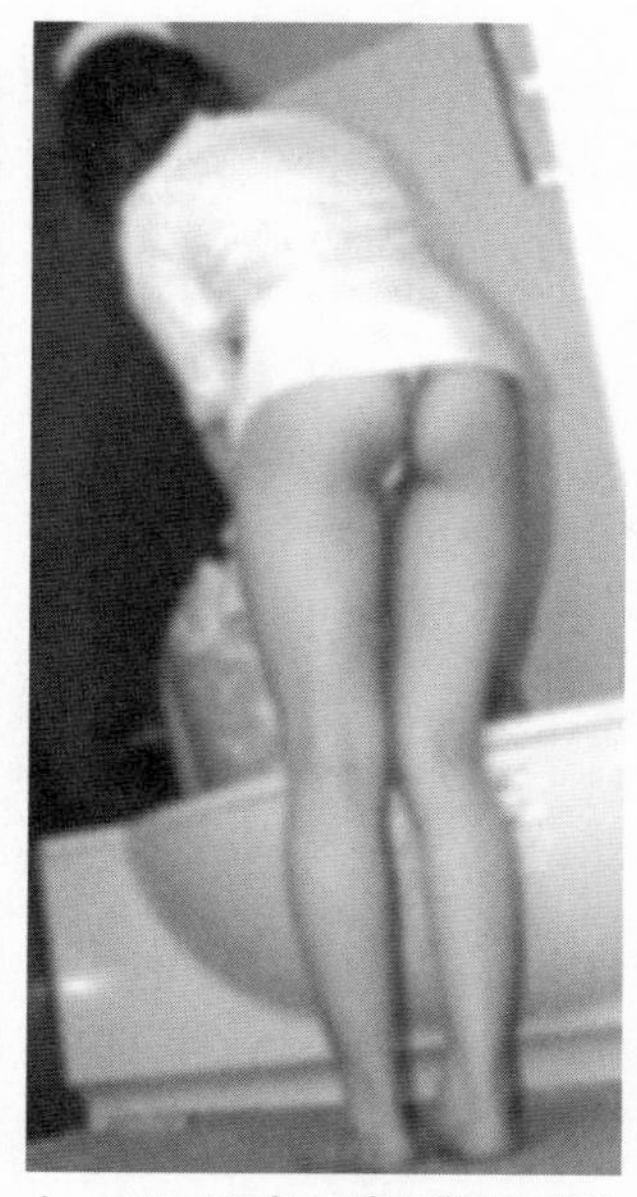

ナースのコスプレで客に覚せい剤を
注射したという祥子さん。決して足を
踏み入れてはいけない世界だ……

ストレス・イジメ・薬物……意外に多い「ヤクザ」の自殺

取材・文●金崎将敬

無理が祟り身体はガタガタ。医者のクスリが手放せない

堅気を威圧する浅黒い精悍な顔を持ち、厚い胸と太い胴回りの堂々たる体躯で、周囲を圧倒する偉丈夫――それがヤクザである。しかし、屈強な見てくれとは裏腹に、ヤクザの多くは重い持病に悩まされている。歌舞伎町のヤクザ・藍屋一家（仮称）の舎弟頭で、2016年の春に還暦を迎えた平良玄正（仮名）氏が苦々しげに語る。

「ヤクザは、堅気の衆が思っているほど元気じゃないよ。それどころか、身体なんかガタガタで、クスリを手放せないよ。いやクスリっていっても、薬物じゃないぜ。若いときに入れた刺青の弊害で、肝機能障害やC型肝炎になってるから、医者からもらった薬を手放せないんだ。

それに普段から、焼肉なんかの高カロリーの偏った食生活だろ。過度の飲酒に、ヘビーすぎる喫煙もある。若いうちから肥満になって、高血圧や痛風、糖尿病で苦しん

でたり、腎臓疾患で人工透析の世話になっていたりするヤツも多いよ。シャブの売買をシノギとするヤツらは、薬物使用の後遺症で、睡眠障害や躁鬱病などに悩まされているしね。やっぱ刑務所に服役することが、ヤクザにとって健康を維持する人間ドックなんだろうなぁ」

平良氏も、3回ほど服役経験があるが、刑務所の規則正しい生活とバランスのよい食事で体調が劇的によくなったという。禁酒・禁煙で、運動に励みもするから、健康を取り戻す者は少なくない。

しかし、出所したヤクザの多くを待ち受けるのは、安穏な人生ではない。抗争などの組事で身体を懸けた者には、激励会が行われ多額の報奨金が支払われ、将来が保証されるが、それはほんの一部にすぎない。他の出所者は、日銭を得るため厳しいシノギを続けるしかない。

「刑務所で身体だけは健康になっても、シャバにいなかったから、一から新しいシノギを探さなければなんねぇんだよ。でも暴排条例で、昔のように稼げねぇわけ。思いどおりにいかなくて、ストレスが溜まり、精神に異状をきたすヤツもいるわな。刑務所から出た瞬間、不健康に逆戻りさ。

刑務所でも眠剤を飲みすぎて、1日中ボーッとしていたヤツがいたなぁ。デパス(=抗鬱剤)なんかでも、飲みすぎは危ない。元AV女優の飯島愛や紅音(あかね)ほたるなんかも、死因は不明じゃなかったっけ。おそらく眠剤や安定剤の過剰摂取による不審死だよ」

平良氏の兄弟分も、眠剤の過剰摂取による不審死を遂げている。

「酒を飲んだ後、オレに電話がかかってきて、『眠れない』って言うのでしばらく話してたんだ。その後眠剤を飲んだんだろうな。当番にも顔を出さなかったから、部屋まで行ったらさ……」

平良氏の兄弟分は寝ている間に死に至ったのだ。

そして、ヤクザは死んでから最後の親孝行をするという。残された一家一門のために、会葬や組葬を開き義理がけが行われ、組織に大きな利益をもたらすのである。

遊んで暮らしているように見えてストレスが多いのがヤクザの世界

また病気だけでなく、意外にもヤクザには自殺者が多いと、平良氏は語る。

「なぜ、アイツが、というようなヤツが自殺しているよね。それも、些細なことが原因で。ウチの兄ィも自殺したんだけど、出所してからおかしくなったよね。刑務所で想像してた以上に、シャバは変わっていたんだ。うまく社会になじめなくって、毎日酒を飲んでクダをまく生活だった。最後はホテルにこもって、そこで首を吊った。

まぁ、下っ端のヤツらが自殺するのは、そのほとんどが組織内でのいじめだよね。

飛べばいいのに、ネタ食った勢いで自殺したりね。ポン中も、自殺者が多いね。突然、屋上にあがって飛び降りたりとか。シャブをやめても、後遺症から躁鬱になって自殺したりとかね。まぁ、遊んで暮らしているように見えて、ストレスが多いのがヤクザの世界さ」

親分や客人などのボディーガードに、先輩らの理不尽な恫喝（どうかつ）やヤキ入れ、当番や稼業上の行儀作法や所作動作、さらにシノギのイロハから、取り立てや借金の回収まで。そして、対立組織との抗争による待機や、対ヒットマンの弾よけ業務など、ヤクザの世界には、日常さまざまな緊張が付きまとう。そのハードな日常に耐えきれず、死へ傾倒していくのである。

ヤクザは組内で定時連絡を行い、事務所の当番制度がある。連絡が取れなければ、組からの連絡が頻繁に入る。それでも連絡がなければ、逮捕されたか、事件に巻きこまれたか、すでに死んでいるか、である。

連絡が取れなくなると、組内で仲のよかった者が迅速に部屋を訪問する。そこで変わり果てた仲間の遺体と対面することもある。

しかし、なんらかの事情で遺体発見が遅れた場合は、見るも無残な姿だという。

平良氏が顔をしかめて語った。

「兄ィが首吊り自殺したのはホテルだったから発見が遅れた。冬場で部屋は暖房をかけたままだった。室内は異常に暖かくて腐乱が早かった。周囲一面に腐敗臭が漂い、相貌（そうぼう）は崩れ、ところどころで骨が露出していた。あんな遺体、二度と見たくないよ……」

太っ腹な言動と違い、意外にもガラスのハートを持つヤクザたち――暴対法で厳しさの増す環境のなか、日々、苦しむヤクザは増えているのだ。

ヤクザ事務所が多く、風俗店やキャバクラが建ち並ぶ新宿歌舞伎町。巨額のカネが裏社会へ流れていたが、暴対法、暴排条例の施行以降、ヤクザの経済活動は厳しさを増している

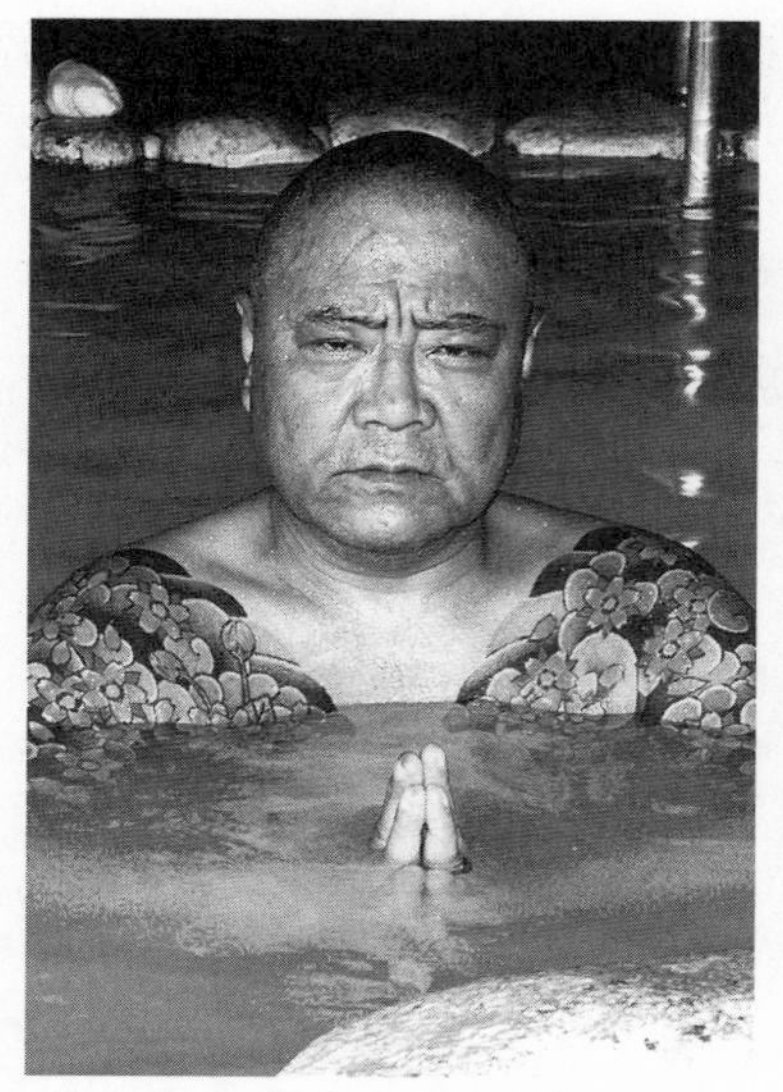
写真はイメージです。本文とは関係ありません

第3章 社会問題化する超タブー地帯

成宮君も来店⁉「コカインバー」の精神障がい、全身傷だらけの女

取材・文●中村淳彦

ヒップホップの街、宇田川町の「薬物バー」

渋谷駅から歩いて10分ほどにある東急ハンズを中心に、宇田川町は広がる。小さなカフェやバー、レコード店や古着屋、クラブなどが建ち並び、１９９０年代には日本のヒップホップブームの舞台となり、様々なアーティストが曲の題材にした。ここに〝お通しにコカイン〟が出てくるバーがある。教えられた住所を訪ねると、一般的なバーの看板が掲げられ、普通に営業していた。

店内は暗めで、若者が3～4組と平日にしては客入りがいい。30代前半くらいに見える髪の長い女性がバーテンをしていた。女性の好みだろうか、70年代のロックミュージックがかかっている。飲み物は1杯７５０～１３００円程度で、この近辺の一般的なバー価格といえそうだ。

「お通しがあるので、トイレにどうぞ」

飲み物を持ってきた女性店員がそう言った。男女兼用のトイレに行くと、彼女は白い粉が入ったビニール袋を取り出し、小指の長い爪の上に微量を載せて鼻先に差し出してくる。コカインだ。鼻で吸えということか。同行者が薬物好きだったので、私の分と合わせて2人分の〝お通し〟を鼻から吸った。

いうまでもなく、コカインは常習性のある違法薬物で、眠らなくても食べなくても平気になり、疲労を忘れさせるアッパー系の作用がある。鼻から吸うために脳への影響も大きく、微量でも死に至る可能性のある危険な薬物だ。しかし、お通しで当たり前のようにコカインを吸うお客たちは、普通に楽しそうに喋（しゃべ）っていた。

「おかわりが欲しいときは、私を呼んで小さな声で言って。すぐ用意するから」

女性店員はカウンターに戻っていた。微量のお通しはテーブルチャージ代に含まれているが、おかわりはその都度女性に注文して現金で支払う。一度の価格は3000円程度という。

薬物疑惑で騒がれる成宮寛貴の目撃情報

お通しを除いてはとくに変わったことのない普通のバーだった。バーでの違法薬物提供は、渋谷、恵比寿界隈ではこの店以外にも数店舗あり、2000年代後半から増えたという。その背景には、こんな理由があった。少子化と若者の酒離れで特徴のないバーは経営困難になり、渋谷という土地柄、薬物ライトユーザーを取り込むために違法薬物の提供や売買をする。ライトユーザーはバーのリピート客になり、バーの売り上げと違法薬物売買で客単価とリピート率が上がるという仕組みだ。

コカインのお通しには、そのような背景があるようだった。

「あんたたち、マスコミ？　成宮のことで来たの？」

落ち着く店だったので、同行者と仕事のことを話していると、突然全身が切り刻まれた女が話しかけてきた。とにかく自傷の傷が凄まじく、両腕から両脚、首元と傷まみれだ。女を眺めて漫画『殺し屋1(イチ)』の傷まみれのヤクザの組長・垣原を思い出した。

「あー底辺マスコミね。じゃあ、いいか」

私と同行者がある程度正直に身元を伝えると、女はそう言い、意外な事実をバラしてくれた。この店に薬物疑惑が騒がれる前の成宮寛貴(ひろき)も来ていたというのだ。

「もう5年くらい前だけどね。成宮君は男の子と2人でこの店によく来ていたよ。バレちゃったね。疑惑はおおよそ本当だから、逃げちゃうのは仕方ないよ。私は成宮君と男の子と一緒に何度もコカインを吸ったことあるよ。もう昔のことだから詳しくは覚えてないけど」

火のないところに煙は立たない。そういうことのようだ。

摂取したばかりのコカインのせいか、麗奈は機嫌よく喋り出した

傷だらけの女は麗奈と名乗った。29歳。無職で、障害年金と富裕層相手のＳＭの収入がある。重度の双極性障がい（躁鬱病）、統合失調症を抱える精神障がい者で、違法薬物は中学生の頃からやっているという。近所に彼氏と一緒に暮らし、散歩がてらにこの店に寄ったらしい。お互い暇だったのと、あまりの凄まじい傷が気になったので、麗奈の身の上話を聞いてみた。

「両親はいないんだよね。私を妊娠中に離婚した母親は、出産2日後に行方不明になっちゃったみたい。だからお父さんもお母さんも、まったく知らない。それで母方のおばあちゃんに育てられた。17歳まで一緒に住んでた。双極性って遺伝性の病気らしくて、親代わりになってくれたおばあちゃんもそうだったの。麗奈が25歳のとき、おばあちゃんは自宅で首吊って死んじゃった。70歳まで生きたから、そんな重症ではなかったんだろうけど」

たまたま躁状態なのか、あるいは摂取したばかりのコカインのせいか、麗奈は機嫌よく喋り出した。

「私は本当に頭がおかしい。小学校3年生くらいからリストカットと脱毛と過食嘔吐（おうと）をするようになった。鬱は上司が嫌とか長時間労働とか、理由があってそうなるみたいだけど、双極性って今日は超楽しい、ヤバい、楽しいって思って眠って、起きたら

もう死にたくてしょうがないみたいな」

小学校の頃から大量の抗鬱剤と向精神薬を飲んでいる

小学校4年生で授業中に自分の毛を抜きまくり、さらにリストカットで傷だらけの麗奈は大問題児だった。担任と保健の先生の強い勧めで精神病院に連れられていった。
「とにかく先生がヤバいって騒いだ。リスカしまくっていたから。小学校の頃から大量の抗鬱剤とか向精神薬を飲んでいるから、記憶障がいがあって曖昧なんだけど、小学校の先生に誘導されて精神病院に行ったことは確か。それで薬を飲むようになって、本格的に頭がおかしくなっちゃった。精神病院では鬱って診断されたけど、それは誤診で本当は双極なの。全然違う薬を処方されて、副作用っていうのかな、頭はもっとおかしくなっちゃったよね。そんなんだから処女喪失より、ドラッグのほうが全然早いの。最近、小学校は子供をどんどん精神病院に誘導しているから、私と似たような人はたくさんいると思うよ」

小学校3年生からリスカ、4年生から向精神薬を摂取。自分の運命を恨んだこともあり、中学2年で処女のままヘルスで働いたと麗奈は言う。風俗で1000万円を貯めたら沖縄に移住すると決め、高校には進学せずに風俗嬢になる。未成年でピンサロ、ストリップ、ソープ、SMクラブと転々としたのち、17歳で沖縄に行った。

「殺せ、殺せ」と幻聴が聞こえ、18歳のとき本当に人を刺した

「統合失調症になったのは沖縄から。子供の頃からずっと薬を飲んでいたのが原因だろうね。幻聴が聞こえるようになった。『殺せ、殺せ、殺せ、殺せ』とか。18歳のとき本当に人を刺したことがあって、ははは。知らない人の頭を刺した。たしかスーパーの中にあるタバコの自販機に並んでいて、くちばしみたいな髪留めあるじゃないですか。なんかわからないけど、後ろから前の人を刺しちゃった。なんか『殺せ、殺せ』って聞こえたから。それだけが理由。全身リスカまみれで、拒食でガリガリだったから。それが理由かはわからないけど、警察には捕まったけど、訴えられなかった。なんのお咎めもなし。頭を刺すと半端なく血が出るから、ヤバかった」

薬によって統合失調症になった麗奈は、完全な精神障がい者として障害年金や生活保護をもらい放題で、このコカインバーに頻繁に通って優雅な暮らしをしているという。

共依存の彼氏とは24時間ずっと一緒にいる

親も親戚もいないので社会的にまじめに生きる気は一切ない。恋愛や結婚、改名をくり返してバツ3。現在の彼氏とは2年前に知り合い、出会って2日で結婚を決めている。

「共依存だよね。彼氏がいないと生きていけないし。彼氏ができると今までしてきたこととか、人間関係とか全部捨てちゃう。彼氏にもなにもかもを捨てさせる。人付き合いとか友達とか。24時間ずっと一緒にいるから、相手も私がいないと生きていけなくなる」

現在の彼氏はバツ1のサラリーマンだ。彼女が車を運転して出勤して、勤務中はずっと会社の前で待っている。そして終業して一緒に帰り、一緒に遊び、一緒に寝るという。基本的に24時間一緒にいるという。

「彼氏の元奥さん、半年前に自殺したんだよね。余計な女がいなくなって、あーよかったって思った」

傷だらけの麗奈はそう言ってケラケラと笑い、コカインを「おかわり」して帰っていった。

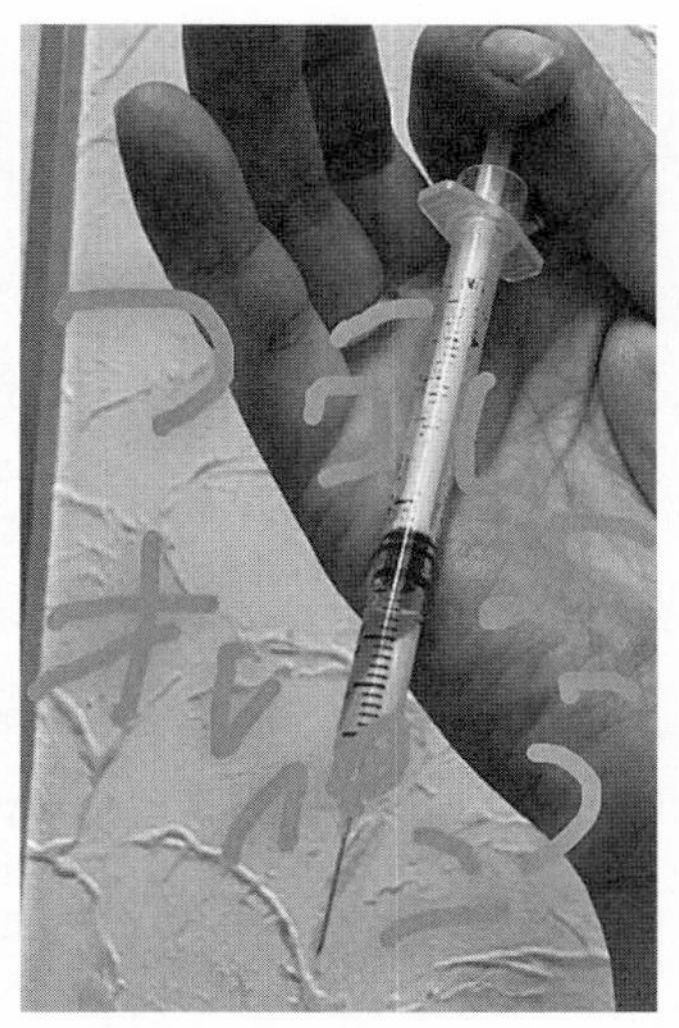

「注射器はペン。見たまんまっていうね（笑）」（麗奈）

〝死体カメラマン〟が2年間潜入！
福島第一原発に集う魑魅魍魎

取材・構成●大島大蔵

国防の義務を果たそうと〝1Fマン〟になったカメラマン

〝死体カメラマン〟の異名を持つ、釣崎清隆氏が福島第一原発（以下、1F）の作業員〝1Fマン〟として勤務したのは、2013年6月から2015年の3月までの2年弱だった。カメラマンの釣崎氏が現場入りを決めたのは、原発事故という国難を前にし、国防の義務を果たさなければと思ったからだという。

◇

ネット検索で「福島」「がれき撤去」「除染」などのキーワードを打ち込み、トップに挙がってきた求人に応募した。基本的に人足(にんそく)集めなんだから、面接なんてないよ。日当は全部で1万3000円。でも、飯場があって、専用バスで現場までの移動付きになるから、その分（宿泊費＋食費＋交通費）を差っ引かれて、だいたい1万円前後かなぁと見当付けた。

13年の6月、業務契約開始の連絡が入って、東京の自宅からはるばる常磐線で福島県のJRいわき駅へと向かったよ。事前の健康診断費用、電車賃は自腹だったね。集合場所は、いわき駅前のミスタードーナツの前だった。若者から老人まで、幅広い年齢層の男たちが集まっていた。登録会社の社員がやって来て、書類確認などの手続きをした。車で寮に着くと、夜中になっていた。

介護施設だった山奥の寮で40人の同僚と雑魚寝

山奥にある寮は、もともと介護施設で、40人は収容できる1階の大部屋に通された。どのスペースを使用するかは、完全な自由競争だったな。荷物を固め、簡易バリケードを築く場所取り合戦が始まったよ。同僚たちは、大部屋での雑魚寝生活に慣れているようだったね。仕事のときは、一般の作業員はまずJヴィレッジに集合して装備を調える。Jヴィレッジは東電が地元に寄贈したサッカー合宿施設だが、1Fの事故以降は、収束作業の中継基地として機能しているからね。そこから、専用路線バスで30分ほどかけて1Fに向かうのさ。

現場では、「車両サーベイ」という、1Fに出入りする車両の線量を測る仕事だった。1Fに出入りする車両の前、後ろ、両側面とくまなく線量を測る。俺のシフトは11時から18時まで。90分作業が3回で、間に1時間休憩をはさむ。実働4～5時間だけど、現場は慢性的な渋滞で、動きっぱなし。1Fのなかでは一番忙しい現場で、夏場はほんときつかった。寮の出発から帰りまでの時間を加えれば、拘束時間は12時間ぐらい。最初に聞いた話と違って、結局、日当は8000円だった。もう現場に来ちゃってるから、なし崩し的だったね。

意味なくむなしい線量測定。支えは楽しい寮生活

車両サーベイの仕事は、「厳重な線量管理」をアピールするための形式的な側面もあった。最初は、構内外を出入りする路線バスがメイン。同じ道を走ってるだけなのに、あの巨大な表面積を何度も測る。入退域管理棟ができてからは、構外と構内の路線が独立することになって、バスの測定が劇的に減った。で、ダンプや生コン車などの工事車両を集中的にやるようになると、途端に汚染の発見回数が増えた。そのうち、車内の測定もやってくれって話になって、始めてみたら、ガンガン汚染が出てくるんだよ。生コン車の運転手は現場で外に出て、ミキサーの操作とかするから、彼ら自身が汚染されていたわけ。

とはいえ、汚染といっても、ほとんど危険がないレベル。本当にヤバかったら、近づいただけで、（胸を指して）こっちの線量計が鳴るからね。それをがめつく発見して、除染しなければ外に出せないって基準をつくってる。だから、除染してるポーズ取っ

てれば済んじゃうんだよな。サバサバしたヤツは、メーターも見ないでエア窓拭きしてたよ。考えれば考えるほど、自分がやってることは、究極的には意味がないという無力感にさいなまれたね。

でも、そんな現場で2年弱も勤続できたのは、エキサイティングな寮生活があったから。集まる作業員は癖のあるヤツばかり。いろんな人間模様があったよ。

最初に仲良くなった同僚は、70歳のおじいさんだった。もともと、違法カジノを経営していたけど、店をたたんで、新規ビジネスを始める資金を貯めに原発にやって来たと。体格もよく、とても70歳には見えないし、体力に自信があるんだよね。

でもその老人は10日ほどで退寮になった。在日だったから。当時、政府が北朝鮮工作員によるテロを恐れて、スパイの可能性がある出自の人間は排除されていた。まぁ、当然だと思うよ。でも、今は緩和されて、除染現場に在日や技能実習生の中国人もいるらしいけどね。

“架空の女”とノロける幻覚持ちの同部屋人

たびたびトラブルを起こす問題児もいた。ずっと同室にいた30代の男が、幻視幻聴があって、よく架空の人間と会話してた。ストーカー的についてくる飲み屋の女だそうで、迷惑そうに「来んなよ！」だとか叫んだり、時々ノロけたり。彼は和室の床の間に突っ張り棒を渡して、洗濯物を干していたんだけど、いつしか、その突っ張り棒が、寮全体を大規模な余震から守る大黒柱だって言い出してね。よく洗濯物の重みで突っ張り棒が落ちてきたんだけど、そのたびにみんなを余震から守ったと言い張ってた。

大部屋での共同生活だから、突然、大声を出したり、不可解な行動を取る人間は、同居人たちから煙たがられていたね。注意されても、聞くような社会性なんてないから、若い作業員とトラブルになっては、よく殴られてた。風呂に一緒に入ると、自然と土方で鍛えられたブロンズ像のような肉体美でね。やり返されたら、タダじゃ済まない力があると思うけど、一方的にやられてた。それでも、寮を出る気なんてさらさらないわけ。結局、その男は次第に仕事を振られなくなって、寮の引っ越しのときに追い出された。

逃亡中の横領犯だった元大手生保管理職の男

大手生命保険会社の元管理職という、原発作業員に似つかわしくない経歴を持つ男もいたな。40代後半で、外交員のおばちゃんを束ねるような立場だったらしい。入った時期は俺と同じ頃。話をしても、それなりに知的で、仲良くしてた。だけど、ある朝、警察が寮にガサに来たのね。その頃、マリファナをやってるって噂の立ってるヤツがいたから、「あいつか！」とか思ったんだけど違った。

元生保の男性が「観念しますんで静かにやってもらえますか」って。老人の預金を1000万円ぐらい着服して横領してたらしい。つまり、潜伏中の逃亡犯だったんだ。ガラケーの待ち受け画面が自分の娘で、休憩所でよく娘の画像を見てた。原発の前は、酒と女遊びで無茶してたとか。追われる身になって、彼の人生は完全に変わったんだろうね。

その逮捕された男の穴を埋めるために、新しく寮に入ってきたのが、女性だった。36歳で元大阪のレディースでトビをやってたとか。男性しかいない寮に、なんで女性を突っ込んでくるんだよと。女子レスラーみたいな体格だったけどさ。

「名前なんですか？」って聞いたら、「ババアと呼んでくれ」と。それ以外の呼称は許さんって言うんだよ。俺はそんな言葉使うのイヤだからさ。北海道から来た若者は、いい感じで「ババア」って清々しく呼んでいたけどね。初日からカマシがひどいから、寮長が注意したら、いきなり女っぽくなっちゃってさ。ガンと怒られると発情しちゃうみたい（笑）。寮長にもの凄いくっついて、服を脱ぎ出す始末でさ。結局、助けを求める寮長から引き離すと、いきなり失速して布団に倒れ込み、そのまま眠り込んでしまった。

ババアは身分証をどっかで落としただとか言っててね。それじゃ、現場に登録できないから顰蹙をかってたんだけど、悪いと思ったのか、寮で飼ってる社長の犬の散歩をかって出た。だけど、散歩に出たまま帰ってこないんだ。携帯に何十回も電話して、やっと繋がったと思ったら、「犬を逃がしてもうた。連れ戻さないと、社長に合わす顔がない」と。結局、社長の犬は、保健所に保護されてて、翌日に寮に帰ってきた。しかし、ババアだけは戻ってこなかったという（笑）。

そんな変わり者が多かったから、まともな俺は重宝されたよ。1年経った頃、「辞めたい」と軽い気持ちで言ったら、強硬に引き留められた。現場で元請けの統括にも「俺のためにもう少しがんばってくれ」って言われてね。結局、半年も居残ることになった。

より線量の高い現場を志願し、3号機内のロボット監視業務へ

そのあとは、車両サーベイを辞めて、一旦、東京に戻った。でも、より線量の高い現場で働きたいっていう思いが強くて、車両サーベイ時代にできた知人のツテでロボット作業の仕事に就いた。3号機構内で作業するロボットを介助、監視する業務だよ。「パックボット」っていう災害発生直後にアイロボット社から東電に提供されたロボットで、メインの作業をしてる東芝のロボットを監視している。もともとは軍事用ロボットだから、小がれきの撤去ぐらいはこなすこともある。ロボットの拭き掃除やバ

ッテリーチェックといった簡単なメンテナンスから、運搬、動作確認とか。日勤と夜勤があって、俺は夜勤のロボット起動作業を主に担当した。

回収は別の担当だから、ほとんど待ち時間で、みんな弁当食ったり、スマホのゲームをしたりしてたね。移動とミーティングを合わせた実働は3時間ぐらいかな。簡単だけど、高額なロボットを扱うので、けっこう気を遣う。３次請けから来る仕事なんで、日当はよくて3万円だった。もっとも、ある程度の知能と機転、責任感を伴うので、紹介でやって来た作業員が多かった。現場でまじめに取り組んでいれば、さらに、いい仕事が回って来るってことかな。

ネット記事がバレ、突然の解雇通告

希望した高線量現場に入って、ロボット作業員として働いたのは、結局、３カ月で唐突に終わった。ネットのニュースサイトに出した記事がバレた。記事が出たその日だよ。仕事からの帰宅途中に会社から連絡が来て、すぐに責任者と面談した。「鈴木智彦（ヤクザ系ジャーナリスト。文藝春秋の仕事で1Fに潜入した）に続いて、２人目だ」って言われた。素直に認めると、罰とかはなくて、そのまま解雇された。責められることもなく、サバサバしたものだったよ。

ロボット作業の会社は、いろいろちゃんとしてた反面、張り合いがなかった。前の会社は、これでもかってぐらい、毎日いろんなことが起きたからね。インテリ系、ガテン系、反原発活動家、ニート、在日など、まさに人種のるつぼだよ。接触するはずのない人間たちが大部屋で雑魚寝して、同じ現場で働くんだ。19世紀アメリカのゴールドラッシュは、これに近い状況だったんじゃないかって想像したけどね。

福島に突如湧いた〝除染事業〟という名の黄金だよ。あらゆる思想や立場の人間が集結し、摩擦や衝突をくり返す群像劇がそこにはあったね。

今でも忘れられない1F構内の1200本の桜

1Fで見た、今でも忘れられない風景がある。それは13年の6月から働いて、年を越し、初めて春を迎えて見た満開の桜。現場に向かうとき、その桜並木を歩いて行く。それが尋常じゃない美しさなんだよね。もともと、1F構内には1200本の桜が植えられていて、開花時期に地元住民を招いていた。事故の後、3分の2が伐

休憩所でくつろぐ車両サーベイ員当時の釣崎氏。床には養生シートの上にアルミマットが敷かれ、ドリンクサービスもある

採されたが、地元の要望もあって、線量の低い場所の桜は残ってるんだ。ほとんどの作業員は路線バスで通り抜けるだけだが、現場が近い車両サーベイ員は、出退勤時に桜並木を歩いて、桜吹雪を堪能できるのが特権だった。

でも、落ちた桜の花びらは除染対象なんだ。花びら1枚でも1Fから外に出すことは許されない。それが、桜のはかなさを一層強め、幻想的に映った。人間の手が加わらない華やかな健康美。逆説的だけどね。1年いると、四季折々、日本列島って、こんなにきれいなんだなって心底思うんだよ。

釣崎清隆

つりさき・きよたか●富山県生まれ。慶應義塾大学卒。AV監督を経て1994年に死体写真家として活動開始。ヒトの死体の風景を求めて世界中の無法地帯、紛争地帯を渡り歩く。著書『死者の書』(三才ブックス)、『世界残酷紀行　死体に目が眩んで』(幻冬舎)、『エメラルド王』(共著・新潮社)など。『死化粧師オロスコ』や『ジャンクフィルム』など、映像作品も発表している。原発作業員時代の体験をつづった著書は『原子力戦争の犬たち　福島第一原発戦記』(東京キララ社)。

「急性外来」のスタッフが語る精神病院の「天国と地獄」

取材・構成●西本頑司

片岡純二（仮名・26歳）さんは関西の某精神病院に勤める新人スタッフ。現在、看護師資格を目指して勉強しながら働いて1年。片岡さんは精神病院がいったいどんな場所なのか、その実態を話してくれた。

街中の病院や通報先の警察から次々と患者が運ばれてくる

ぼくが勤める病院のベッド数は350と、見た目は小規模な総合病院です。しかし周囲をぐるりと囲む高い塀と非常階段の自殺防止用ネットが「それっぽさ」を醸し出していない。意外に思われるかもしれませんが、精神病院は看護師からは人気の高い職場。

通院患者さんは、健常者と変わりませんし、入院患者さんも普段はすごくおとなしい。投薬されて、たいていはとろーんとしているからです。排便したものを壁に塗りたくったり、オシッコを垂れ流したり、唾を吐き飛ばしたりしますけど、排便処理は看護師ならば必ず通る道。最初は臭いもひどくて腹も立ちましたが、3カ月ぐらいで平気になります。ブツブツ呟く、奇声を発する、妙な反復行為を続けるなども、だんだん気にならなくなります。「病気で苦しんだり、亡くなったりする普通の病院よりも精神的に楽」という看護師も少なくないんです。

鬱病患者さんなんて動きが遅くなり、歩くのも食べるのもスロー再生みたいで、ナマケモノを見ているような、ちょっとした「癒やし」になるぐらいです。ただし、躁状態になると、「倍速再生か！」と突っ込みを入れたくなるほど劇的に動きが速くなります。ナマケモノのような人が猫みたいに大暴れし始める。躁鬱にかぎらず、統合失調症などいろんな病状にも当てはまり、専門用語で「活動期」と言います。この活動期へ突発的に入って症状が悪化するのを「急性期」と言うんですが、こうなってしまえば専門病院でなければ対応できません。手に負えなくなった家族から、街中で暴れて怪我をして運ばれた病院から、通報を受けて保護した警察から、続々と患者さんが運ばれてきます。

それが「急性期外来」。ここがぼくの職場なのです。じつに精神病院らしい、最もディープな場所で働いているわけです。

普段はおとなしい患者でも急性期に入ると馬鹿力を発揮

もちろん、楽な仕事ではありません。薬漬けの入院患者と違い、「急性期」は本当に〝活き〟がいいんです。うちは地域の拠点病院なので管轄エリアから24時間体制で次々と患者さんが運ばれてきます。近所にこれほど「頭のおかしい人」がいたのかとビックリするほどです。男性スタッフが4〜5人体制で患者さんを確保、保定するわけですが、これがぼくの仕事なのです。

叩かれたり、噛みつかれたりもしますが、それも給料分と諦めています。すぐ治療もしてもらえますし。むしろ、嫌なのは怪我よりも「臭い」。この手の急性期の患者さんは長い間、風呂に入っていない。それを抱きついて確保するんですからキツい職場です。それでも治療室で暴れるのは、こちらとしてもまだ助かります。

一番困るのは、逃げられること。活動期に入った患者さんは、たいてい妄想状態となります。「監視されている」「命を狙われている」といった妄想ですね。覚せい剤使用の疑いで逮捕されたASKAさんがテレビの電話取材で口走った盗聴組織の「ギフハブ」。これはじつにありがちというか典型的な内容で、ぼくも似たような〝お話〟を患者さんからさんざん聞かされてきました。しかも急性期の妄想は、真剣味がまったく違います。文字通り、命懸けで信じ込んでいるのです。

患者さんにすれば、ぼくなんて悪の秘密結社「ギフハブ」の戦闘員。自分を捕まえて人体実験する、あるいは処刑すると思い込んでいる。だからおとなしくしていても油断できません。少しでも隙を見せたら、驚くほど俊敏な動きで脱兎のごとく逃げ出します。

　六十代のおばあさんでも信じられないような動きになります。おそらく「火事場の馬鹿力」が発揮されるんでしょう。これが成人男性ともなれば、シャレになりません。転倒して大怪我をするだけでなく、他の患者さんも危険に晒すことにもなります。それでぼくたち病院スタッフ総動員で大捕物となるわけです。刺股なんて病院に来て初めて見ました。この手の保定用の道具もそろっているんです。

　そんな人でも2カ月も入院すれば、すっかりおとなしくなります。投薬を続けて、とろーんと無害となったところで強制退院。急性期外来は最大3カ月までしか入院が認められないのでベッドを空けておく必要があるのです。こうしてぼくたちは、運ばれてきたばかりの患者さんと、日々、格闘しているわけです。

男性看護師にとっては「ナース天国」の職場

　そんな生傷の絶えない職場ですが、時給は1000円、夜勤で1200円ぐらい。月収15万円、諸手当込みで17万円あるかないか。ぼくの前職は書籍のデザイナーで、給料でいえば半分以下になりましたね。一人暮らしもできないので、今は実家暮らしです。しかし、ブラックな職場とは思っていません。看護師資格を取得するための学費補助が年換算で100万円以上出ていますから。資格取得は、どんなに頑張っても3年はかかります。あと2年は辞めるに辞められない。それを見越して病院側も一番きつい職場に入れたのでしょう。看護師になれば月収40万円以上を安定して稼げますし、なにより売り手市場ですから今が我慢のしどころと思っています。

資格取得後、このまま精神病院に残るかどうかは未定です。ただ、男性看護師にとって、ここがかなりの「天国」というのは1年働いてわかりました。

むちゃくちゃ、ヤレるんですよ。

昔は女性患者に「いたずら」したなんて話もあったみたいですが、今は病室に監視カメラが設置されているのでできません。

お相手は「ナース」なんです。先輩から聞いた話ですが、一般の病院の場合、看護職はいまだ女性が中心。男性の新人や若手はまず相手にされないそうです。なによりドクター人気が高いし、レントゲンやCT、麻酔といった高収入の医療技術職の男性も多い。わざわざ男性看護師と付き合おうとはならないというのです。病院内のヒエラルキーで男性看護師は「底辺」に近く、よほどのイケメンでもなければ、なかなかナースとヤレないらしいのです。

その点、精神病院は違います。まず、ドクターが驚くほどモテません。治療といっても注射をするか、処方箋を出すだけですからね。外科医の「ゴッドハンド」的な要素もなく尊敬を集められないのでしょう。また、医療技術職も少ない。その一方で男性看護師の数が他とくらべて圧倒的に多いんです。うちの病院では180人程度の看護師のうち半数が男性です。暴れる患者さんがいるために男性を増やすわけです。しかも「肉体派」のオスっぽいタイプが多いんです。

患者が暴れたとき、屈強な男性看護師が身を挺して女性看護師を守る。男女同数ですからローテーションも重なります。仕事の後、一緒に飲みに行く機会も自然と多くなる。看護職はなにかとストレスがたまります。肉体派の男がそばにいるんですから、そりゃあヤリまくりますよ。おまけに男の稼ぎだっていい。

男女同数は共学の学校みたいで気楽な雰囲気になるのか、他の病院より簡単に付き合ったり、セックスフレンドになったりするらしいですね。これも先輩の言葉ですが、夜勤のとき、うめき声が聞こえるんで患者さんが苦しんでいるのかと確認したら看護師同士がヤッていたなんて話はよくあるみたいです。

患者さんにすれば「精神」病院ですが、働く人にとっては、「肉体」病院。力仕事をして、もりもり肉を食べて、ヤリまくる。「肉食」の看護師がそろった体育会系の職場というのが1年働いて得た実感です。逆に「脳筋」（＝脳みそが筋肉）でなければ、患者さんに巻き込まれて「病む」ので、あえてそうしている気がします。

その意味では「病んでいる」のは患者さんの次にドクターかもしれません。飲み会のとき、突如、「帰って来たヨッパライ」を歌い出し、「この曲は有名な精神科医の北山修が作詞した精神科医のテーマソングだ」と力説していました。着メロが「おらは死んじまっただ〜」は、ドクターとしてどうなんでしょうか。だから精神科医はモテないのでしょう。

精神病院は「キチ●イ地獄のナース天国」。ま、男性看護師限定でいえば、ですけど。

精神病院の廊下は、スローモーションのようにゆったりと動く鬱状態の患者と、倍速再生のように速く動きまわる躁状態の患者で今日も賑わっている。意外にも、看護師からは人気の職場だ

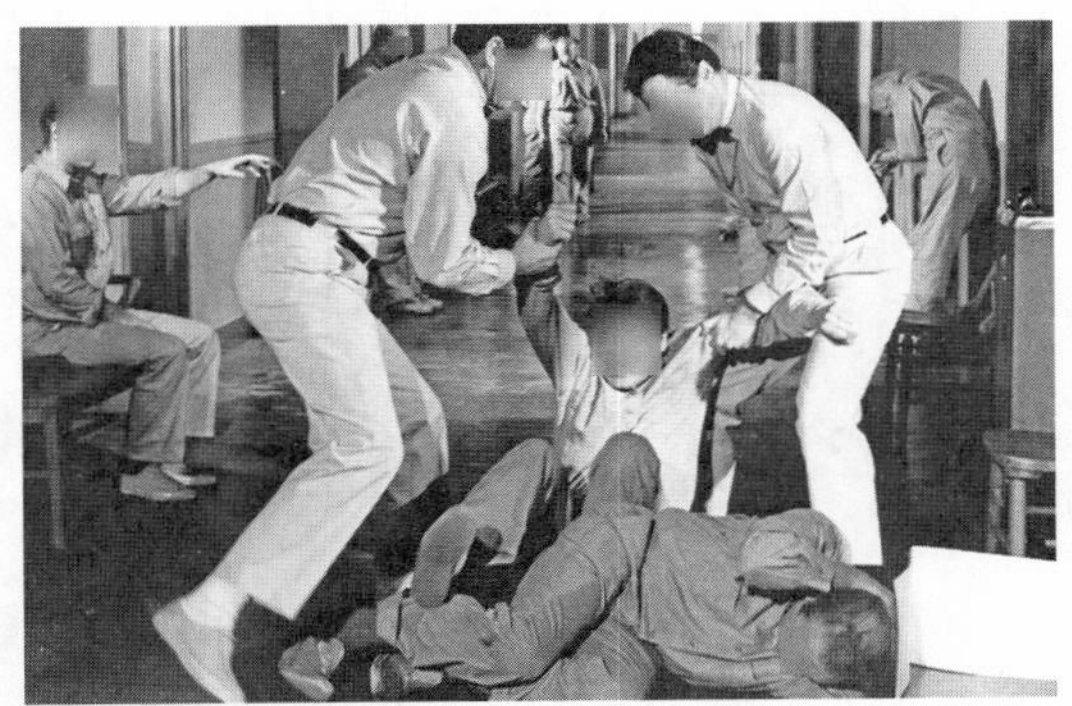

急性病棟にいる活動期の患者は時に激しく暴れる。4〜5名の男性スタッフが、異常な怪力で殴りかかり噛みつこうとする患者を、やっとのことで取り押さえる場合もある

消えた"ホームレスの聖地"隅田川沿いの悲壮な現在

取材・文●西本頑司

隅田川の「ホームレス村」はすでに解体され消えていた

東京からホームレスが消えつつある。

これは数字にも表れており、初の全国調査が行われた厚労省の実態調査では2003年に2万5000人以上いたホームレスは、14年には7500人まで減少。とくに顕著なのが東京で、1万人超から1700人（14年）となっている。理由は景気がよくなったからではない。日本の貧困率はむしろ上昇している。貧しい人が増えていながらホームレスだけが街から消え去っているのだ。

東京でホームレスが集まる場所は、大きく分けて2カ所あった。一つは池袋、新宿、渋谷の西部ライン。もう一つが上野、隅田川沿岸、山谷を繋ぐ東部トライアングルである。

とりわけ隅田川沿岸は、最盛期には2500人以上が集まり、両岸にはところ狭しとブルーテントが立ち並ぶ、一種のホームレス村を形成していた。

かつて隅田川で暮らすホームレスを取材したことがある。隅田川に集まる理由は、周辺の住民が比較的、優しいからだと語っていた。下町の人情なのか、アルミ缶の回収や、コンビニの廃棄弁当の持ち出しなども、このエリアではお目こぼししてくれる。それで渋谷などの西部エリアから流れてくるケースも多かったらしい。人が集まれば炊き出しなどの回数も増えるので、この東部トライアングル内では毎日どこかで炊き出しがある。墨田区役所では毎朝、おにぎりの配給もある。このあたりにいれば、とりあえず食うに困らなかったのだ。

ホームレスのなかでもアルミ缶や雑誌の回収の元締めたちは、それなりのカネを得て、なかなかいい暮らしをしていた。雨露をしのげる橋の下に陣取り、ひときわ大きなブルーテントには発電機がうなり、二間以上の室内にはテレビはおろか冷蔵庫まで完備されていた。

それも今は昔となった。隅田川の水上バスから眺めてみると、あれほど目立っていたブルーのテントはほとんどなかった。河口から浅草までの5キロ区間で、目算でせいぜい20かそこら。ホームレス村は見事なまでに解体されていた。

「仲間を待つために」と区を転々とするホームレス

外国人観光客でごった返す浅草の吾妻橋。そこから隅田川テラスと呼ばれる沿岸の公園を歩いた。ブルーテントが撤去されて、小ぎれいになった川縁(かわべり)は近所の人たちの散歩コースとなっているようで、ジョギングや犬を連れた人たちと行き交う。

とはいえ、思ったより「ホームレスもどき」も多かった。軽く100人はいただろうか。この日は小春日和のいい天気で、花壇の脇に段ボールを下にして寝っ転がっていた。脇にある大きめのバッグが唯一の荷物なのだろう。定期的にシャワーや洗濯をしているのか、意外にこざっぱりしている。

残り少なくなったブルーテントも、以前とは明らかに違っていた。まず、まったく「臭く」ないのだ。かつての「ホームレス村」は、とにかくションベン臭かった。実際、この近辺には公衆トイレが少ない。ところ構わず垂れ流す排泄物と、生ゴミの腐敗臭、川風の磯臭さが入り交じり、なんともいえない臭いが漂っていた。

臭わないのは、排泄物をペットボトルやゴミ袋に溜め込んでいるからだろう。ホームレス御用達の4リットル焼酎「大五郎」のペットボトルの中身が黄色かった。それに自転車。数少ないブルーテントの住人は、みな「自転車持ち」のようだった。

以前、取材したホームレスは「自転車が上位者の証(あかし)」と言っていた。自転車があればアルミ缶や雑誌を大量に運べ、水などもテントに持ち込める。ただでさえホームレスが自転車に乗っていれば、警官に所持確認を受けやすい。ホームレスにとって自転車を所有するのはハードルが高いだけに、ボスの証となるわけだ。

もう一つ気になったのはテントが小さくなっており、住み着いている感じがあまりしなかったことだ。なかにはキャンプ用のテントもあり、一時的な仮住まいっぽさがある。その理由を1人のホームレスが教えてくれた。ブルーテントの脇で、そこで釣ったという小魚10尾を干物にしており、「この天気なら、あと3日で食べ頃になる」と笑いながら話に応じてくれた。

「そりゃあ、ここから出て行けってなれば、わしらに行くとこなんかない。運がよければ『寮』、悪ければ『民間』に移る。あと、身体が動いてカネがつくれれば安い宿だな」

10年頃から突如、強制撤去が始まり、都が運営する「自立支援センター」か民間が運営する「無料低額宿泊所」へと追い立てられたというのだ。残りはネットカフェ、カプセルホテル、簡易宿泊所へと移った。この辺で寝ていた「もどき」は、宿泊費を少しでも安くするために日中、外で時間を潰しているのだという。

「今でも定期的に巡回に来て、出て行けと言うよ。それでテントをたたんで対岸に移る。あっちは区が違うからな。そうして転々とできたヤツだけが、ここに残っとる」

自転車を持ち、テントもコンパクトにして遊牧民のように移動しながら暮らしている。どうしてそこまで、と質問した。

「ここにいれば、また、昔の仲間に会える。この干物を焼いて酒を飲むんだよ」

貧困ビジネスの温床となった、民間の「無料低額宿泊所」

ホームレスが消えたのは、単純に国の方針が変わったからだ。

きっかけは、08年の年末に起こった「年越し派遣村」騒動だった。リーマンショックの影響で、大企業が派遣社員を大量解雇。企業の寮を追い出されて定住場所を失えば再就職できない。そこでつくられたのが派遣村で、この騒動によってホームレスが定住できるよう支援をする対策がなされていく。たしかに再就職を希望するホームレスにとっては「正しい」政策であろう。

しかし、ホームレスの大半は、別に定住や定職を求めているわけではない。なんらかの事情、借金や犯罪などで家を捨てた「ワケあり」なのだ。今日の糧(かて)と今夜の寝床、多少の酒でもあれば満足する。それゆえ、自治体もホームレス対策は「緊急一時保護」、つまり病気や怪我などをしたときの保護と、炊き出し支援などに限定してきた。それが派遣村騒動後、「自立支援」を謳い、ホームレスが自立できるよう方針を改めた。もともと自治体の収容施設は、身体障がい者、老人、母子家庭、薬物依存、精神疾患が中心で、新たに大量のホームレスを収容できない。そこで民間に業務委託を行うようになる。

それが10年以降、雨後の筍（たけのこ）のように登場した無料低額宿泊所なのだ。

まず、朽ち果てたアパートを丸ごと買い取り、そこにホームレスをぎゅうぎゅうに押し込める。さらに弁護士を雇い、働けないホームレスには生活保護を受給させて、動けるホームレスには自治体の斡旋（あっせん）する労務作業を請け負わせ、手数料をピンハネする。これが典型的な「貧困ビジネス」であろう。事実、ホームレスの減少と生活保護受給者の増加は反比例の関係にある。安易に支援方針を変えた結果、「貧困ビジネス」の温床となっているのだ。

それだけではない。09年、臓器移植法が改正となったあとも日本国内での臓器提供数が伸び悩むなか、違法な臓器供給が、こうした宿泊所を経由しているという疑いまであるのだ。

隅田川のホームレスが集まっていたという無料低額宿泊所が吾妻橋の近くにあった。「雷門荘」という。再開発予定地に残っていた古いアパートだが、16年末の時点で、すでにファッションビルの建て替え工事で取り壊されていた。

アパートの前に酒屋があった。店主によれば、雷門荘の住民は酒を飲んでは口癖のように、「帰りたい、昔はよかった」とくり返してはきれいになった川岸をいつまでも眺めていたという。そして工事前によそへと移ったまま消えていった。

ホームレスは、なにかしらの事情があって家を捨て、家族を捨てた人たちである。なにも持たない彼らにとって、同じ境遇の仲間だけが唯一の財産だった。それを失えばどうなるのか。

上野公園に携帯電話を持ち、花見の席取りやマスコミ取材で有名だったホームレスがいる。その人も渋谷の宿泊所へ行ったきり、プッツリ連絡が取れなくなった。最後に連絡した編集者によれば「仲間に会いたい」と、電話口で泣いていたという。

水上バスの中では、なにも知らない外国人観光客が東京スカイツリーを見て「ワンダフル」と写真を撮っていた。そこには美しい景色だけが映っている。

2010年頃からの強制撤去で、ホームレス村のブルーテントの数は大幅減少した。いまなお定期的に追い立てが来るため、ホームレスたちはテントを小型化、移動しやすくした

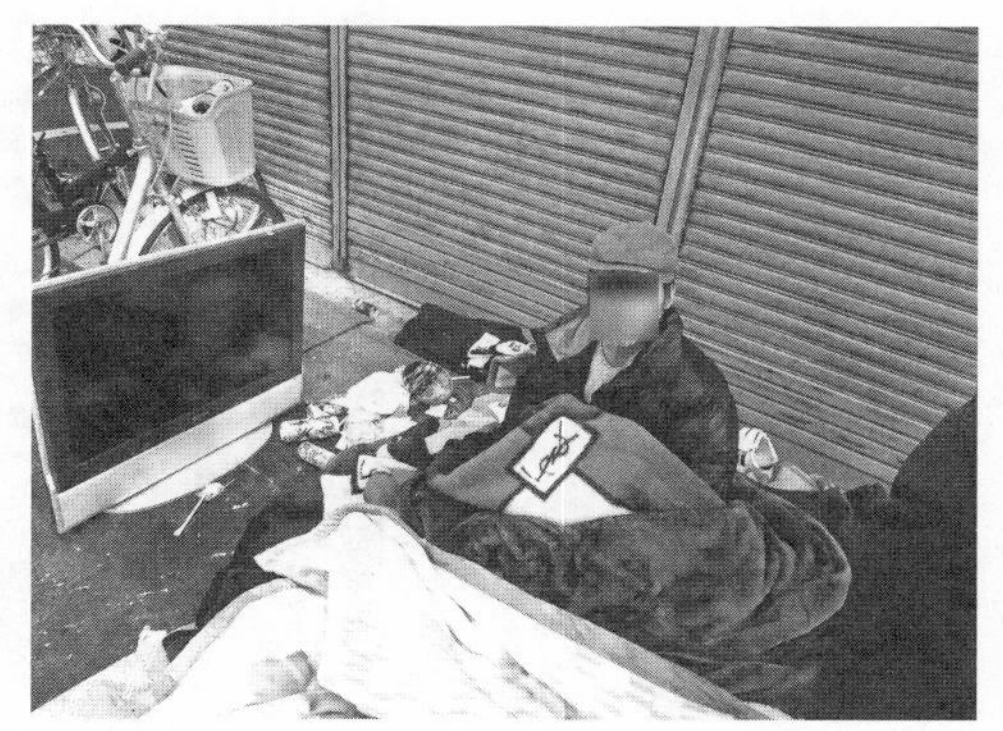

山谷の商店街の路上で寝泊まりするホームレス。2008年の年越し派遣村以降、政府は彼らの自立支援に力を入れるが、ホームレスの多くは定住や定職を求めていない

「偽装結婚」月5万円報酬で中国人女性にハメられた！

取材・文●巴里一郎

蘭蘭の妹・純純（当時27歳）と40代のときに偽装結婚

厚生労働省によれば2013年に国際結婚したカップルは21466組、うち中国人との結婚は6971組で、約32パーセントを占めている。じつはかくいう私も中国人女性との結婚経験がある。しがないフリーライターで離婚歴がある私は、40代のときに、陳純純（仮名・当時27歳）という女性と「偽装結婚」した。経緯はこうだ。

私の友人Aは当時も今も王蘭蘭（仮名）という中国人女性と同棲している。蘭蘭は中国人ホステスばかりそろえたスナックを営業しており、人手不足もあって蘭蘭の妹・純純を故郷から呼び寄せることにした。こうしたスナックでは不法滞在している中国人女性が集まりがちで、入国管理局の手入れでもあれば営業が難しくなる。純純は中国で銀行関係の仕事に就いており、ボーイフレンドもいたが、姉の呼びかけに気軽に応じて日本語学校の留学生として日本に入国。通学するかたわら姉の店を手伝い始めた。

　しかし深夜営業の水商売と学生の両立は難しい。また留学生ビザにもかかわらず、スナックで働いていることが入管にバレれば国外退去となってしまう。困った蘭蘭が友人Ａに相談したところ、Ａは知人のラーメン屋の主人に偽装結婚を持ちかけた。ラーメン屋主人は数年前に中国人女性と一度偽装結婚したことがあり、抵抗感はない。純純は料理が得意なので一石二鳥に思えたようだ。

　ところが改めてラーメン屋主人が自分の戸籍を調べてみると、前の中国人とは離婚していないことがわかった。離婚届を彼女に渡して届け出るように言ったのだが未提出で、しかも彼女の行方は不明だ。つまり、戸籍上は既婚者で、離婚できる見込みもないのだ。

「好きになったらセックスして、本当の夫婦になればいい」

　そこで次に白羽の矢が立ったのが「バツイチで貧乏」な私だった。純純とは姉のスナックで顔見知りになっている。スレンダーで胸は薄いが歌はうまく、愛嬌のある顔立ちと舌足らずな日本語が可愛らしくて、私としても憎からず思っていた。

　蘭蘭が持ち出した偽装結婚の条件は、報酬として月５万円を私にくれるというものだった。「本当に好きになったらセックスして、本当の夫婦になればいいじゃないデスカ」と励まされ、友人Aからも「1人で迎える老後は寂しいよ。とりあえず結婚してみれば」と勧められ、純純本人からも「お願いシマス。助けてください」と頼まれ、私も「友人Aの助けになるなら……」と自分に言い聞かせて承諾した。

それからは、私の嫌いな書類仕事とお役所との交渉の連続だった。

まず日本語学校に連絡して、中途退学と前払いしていた授業料の残金の返還を求めた。次は入管への届出だが、国際結婚に強い司法書士に頼めば早いが、カネがもったいない。ネットで検索したところ、近所に結婚の実態を聞き込みして回るという入管の審査にびびった私は、届出の3カ月前から同居している体裁を装うために、月に2～3日は純純に家に泊まりに来てもらうことにした。

近所には噂好きのスピーカーおばさんがいたから、万一を考えて純純が近所の目に触れるよう連れ回した。実際に入管が聞き込みに来たかどうかは不明だが、この作戦はある程度成功したようで、純純と挨拶するようになったスピーカーおばさんは、いまだに私のことを中国人だと思い込んでいる。

入管届出当日は面接があるので非常に緊張したが、私たちのように歳の離れた結婚は珍しくないのか、意外にスムーズに運んだ。許可が下りるまで3カ月かかることもあると聞いていたが、1カ月で純純のビザ更新が終わった。

「純純とセックスしたい。しちゃだめだろうか」

純純は月に数回、店が終わった明け方にやって来た。私は「おはよう」とだけ挨拶してまた眠る。布団は別々だ。昼間は仕事でいくつかの出版社に顔を出し、夕方に戻ると食事が用意されており、純純はそれからスナックに出勤する。

最初はなんとも思わなかったが、３カ月もするとやはり同じ部屋に若い女の子と寝ていることに興奮するようになってきた。友人Ａにも「純純とセックスしたい。しちゃだめだろうか」と相談するようになり、Ａはそんな私をどこまで我慢できるか興味深く見守っていたようだ。なぜ私が彼女に挑みかからなかったかは、今でもわからない。セックスすれば偽装結婚が本当の結婚になるが、やはり私に心の底からの結婚願望がなかったのだろう。

とはいえ毎月もらう5万円の〝お手当〟は助かった。当時私はキャバクラにはまっており、純純を指名するスナック客→純純→私→キャバの指名嬢というよき（？）経済循環が生まれていたのだ。

しかし私の偽装結婚バブルは半年と続かなかった。暮れも押し詰まった頃、友人Ａから「純純が店の客と付き合っていて、もう向こうの両親と顔合わせまでしたらしい」と聞かされたのだ。新しい恋人は日本人で、30代後半。そこそこ高給取りらしい。私はびっくりしたが、しがないフリーライターのおっさんと偽装結婚を続けるより、本当に好きな人と結婚できるなら、幸せになってほしいと祝福した。

その年の12月に離婚届を出し、友人Aと私は新しい旦那に会って事情を説明した。彼は詳しい事情は知らなかったが、指一本触れていないという私の釈明に納得してくれた。彼はいい男で、今では飲み友達だ。年が明けて7月に純純と彼は中国で結婚式を挙げた。マンションも購入し、数年後には純純の日本への帰化申請も無事に通った。傍目（はため）には幸せな新婚生活を送っているように見えた。

ところが昨年、2人が離婚したことが発覚。2人ともはっきりとした離婚理由を語らなかったが、結婚後も純純がホステスとして働いていたことによるすれ違いと、旦那がゲームオタクであまり構ってやらなかったことが影響しているようだ。それはそれで仕方がない、と私は思った。男女の仲だから離婚もある。

しかし、その後に驚愕の事実が発覚する。なんと純純は昔のボーイフレンドの身元保証人となって、中国から日本に呼び寄せ結婚していたのだ。

果たして偽装結婚↓普通の結婚↓帰化↓離婚↓中国人との結婚という5年近くにも及ぶ一連の流れは、意図的なものだったのだろうか。私はそう思う。なんという壮大な計画だろう。私は改めて中国人女性のしたたかなバイタリティに感じ入ったのだった。

筆者に届いた、純純と再婚相手の日本人の中国での結婚式の写真。式場の1階は近所や通りすがりの客に開放して飲み食いさせ、親戚などは2階の会場に参列していたのだという。ここまでやっておいて、結局離婚して、中国人の元彼氏と日本で結婚するとは……

人骨を踏みつけて砕く作業も……「囚人の遺骨」引っ越しバイト体験記

取材・文●幸田孝則

溜まりに溜まった囚人の遺骨を納骨堂から出して供養し直す

２０１０年1月22日。当時、売れない役者をやりながら、大手葬儀社でアルバイトをしていた私に上司から、「50年に一度しかない貴重な仕事がある」と連絡があった。行ってみると、そこは豊島区・雑司ヶ谷霊園にある法務省の納骨堂。「納骨堂に納められている５０００人分の遺骨を移動させると『特別手当』が出る」、というのが聞かされていた仕事内容で、私はその「手当」目当てに参加した。しかし、現地で詳細を聞くとその遺骨の正体は、「死刑囚と刑務所で亡くなった囚人たち」ということだった。

集められたのは10人の作業員。40～50代のさえないおっさんたちばかりで、葬儀社では見たことのない人間だった。

この納骨堂に集められたのは、引き取る身内のいない者や、遺族に引き取りを拒否された死刑囚や関東の刑務所で死んだ囚人たちの骨。しかし、明治時代から使われているこの納骨堂の地下の納骨室が、いよいよ一杯になってしまったので、運び出して別の穴に埋めることになったという。作業の名目は「共同供養作業」。法務省から依頼された、戦後初の作業であり、お国にとっては大切な作業である、ということだった。

死刑囚の遺骨を運ぶ……途方もなく縁起の悪い仕事に関わってしまったのではないか。呪われたらどうしようという不安にも襲われたが、一般人が避ける仕事を引き受けるのが葬儀屋だと、自分を奮い立たせた。

宮﨑勤の骨も入っているかも……。遺骨が入った袋をひたすら搬出

納骨堂の1階には観音様が安置されてあり、そこでお焼香を済ませてから、遺骨が納められてある地下の納骨室へ降りる。大人1人がギリギリ通れる狭さの急な階段で、下りると半地下の部屋があった。照明器具もない真っ暗な部屋には、何十年分ものホコリがたまっているのか、壁に手をついただけでも白い軍手が一瞬で真っ黒になった。マスク越しからもひどいカビの臭いが漂ってくる。思わず背筋に寒気が走るが、もう遅い。ここまで来たらやるしかない。

奥には棺桶サイズの木箱が積み重ねられて、ズラリと並んでいた。「平成15年～20

ない」と思いながら箱を開けた。すると中には深緑色の布袋がギッシリ詰まっていた。厚手の布袋で、大きさは米10キロ袋相当。ホコリで汚れてドス黒い。袋の口は厳重に縛ってあり、5桁の数字が書かれた番号札がハリガネで括りつけられている。おそらく死刑囚の番号であろう。一袋に15人分ほどの遺骨が詰められているようだ。10袋あるから、単純計算で木箱一つに約150人分の骨が入っていることになる。その木箱が3段積みで10列以上並んでいた。知らされてはいたが、実際に5000人分もの遺骨を前にすると、思わずめまいがした。

この袋をバケツリレーの要領で、手渡しで地上に運んでいくのだが、これがかなりキツい作業だった。5分も経たずに汗だくになり、息切れしてきた。普段使わない筋肉を酷使し、作業員のおっさんたちのなかには苦悶の表情で作業している者もいる。犯罪者であっても遺骨は遺骨だから丁寧に扱いたいが、そんな余裕はまったくない。

しばらく搬出作業が続き、150袋くらい上がったところで「これから先は女の骨だから軽いぞー」という声が聞こえてきた。たしかに少し軽い気がする。しかし、女の骨と言われても全然嬉しくない。女の袋も100袋くらい上げて、ようやく地下室からの搬出が終了して、しばしの休憩となった。休憩中、「このなかには宅間守や大久保清なんかの歴代の大犯罪者の骨もあるんだろうな」と誰かが喋っているのが聞こえた。

遺骨を袋から出すと遺灰の煙が辺りにたちこめる

午後になり作業が再開されると、今度はお堂から少し離れた場所に掘られた、新しい共同供養用の四角い穴に、遺骨を埋める作業に移った。穴は、深さ2メートルくらいで広さは四畳半くらい。外の新しい穴の前に袋を移動させるのに、またバケツリレーが行われた。1時間近くかけて、汗だくになりながら遺骨袋を運ぶ。過酷な作業だ。近隣の住民から見えないように、ブルーシートで隠しながらの作業だった。

共同供養の穴の近くまで運び終わると、いよいよ袋の口を開けて、中身の骨を出して穴に入れる。袋を逆さに返して骨をジャラジャラと穴に放ってゆく。遺骨を穴に放ると、同時に遺灰とホコリが舞い上がった。マスクをしていても隙間から遺灰の煙が口に入り込み、顔も真っ黒。髪の毛もバサバサだ。

しかし、半分ほど入れたところで、予想よりも骨の量が多くて、穴がほぼ満杯になるというトラブルが発生した。まだまだ袋は残っている。このままでは遺骨が穴に入りきらない。

仕方がないので、骨を粉々にしてから埋めることになって、作業員みんなでズタ袋を足で踏みつけることになった。「メキメキ」という音をたてて骨は粉々になっていく。人骨を踏みつけて砕くなんて作業は、ほとんどの人は一生体験することはないだろう。罰当たりの極みである。でもやるしかない。舞い散った骨は、明らかに肺にまで入り込んできて、言葉にならないほど不快だったが、もうみなヤケクソだった。

それから1時間ほどして、なんとか遺骨をすべて穴に入れ終えて、作業は終了した。

「ごくろうさん」と言われながら、上司から手渡しで特別手当をもらうも、すぐにでも穢れを落とさないと気が滅入りそうだった。その場で初めて出会った連中だったが、精進落としとばかりにみなで酒を飲みに行き、特別手当はその夜のうちにほとんど遣ってしまった。

足で骨を粉々に砕かれ、誰のものともわからないまま、一緒くたにされて埋められる――。罪を背負って死んだ者たちの運命といえばそれまでだが、死んだあととはいえ、自分は絶対、ああはなりたくない。そう心から思った1日だった。

雑司ヶ谷霊園の正門から離れた裏側、住宅街に隣接した場所にひっそり佇む「裏口」がある。死刑囚をはじめ囚人の遺骨を搬入するためにつくられた専用搬入口なのだろうか

遺族に引き取りを拒否された囚人、引き取る身内のいない囚人の遺骨が安置されているお堂。この地下に眠る遺骨を、近くの新しい共同供養穴へと大移動させる作業だった

作業員が人柱として埋められた!?
最恐の心霊現場「朝鮮トンネル」

取材・文●小島チューリップ

100以上の心霊スポットを巡ったオカルトライターの唯一の心霊体験

筆者は過去10年近く、数々のオカルト雑誌で潜入ルポを行ってきた。関東であれば主要なスポットはほぼ網羅して、関西や東北地方に足を運んだこともある。しかしながら、自分に霊感が全然ないこともあって、正直言ってどこへ行っても、「ヤンキーがいたらどうしよう」という怖さはあっても、「霊が出たらどうしよう」という恐怖はまったく感じなかった。

そんなときに依頼が来たのが、この「二股トンネル」、通称「朝鮮トンネル」の調査だ。岐阜県中南部に位置する加茂郡八百津（やおつ）町の国道418号線にある1956年に完成したトンネルである。

朝鮮トンネルという名前の由来は、強制労働で働かされていた朝鮮人が工事中に事故などで死ぬと、人柱としてトンネルの壁に埋められたという伝説に由来している。

ネットでは、全国数多ある心霊スポットのなかでも1、2位を争う〝ヤバい場所〟として知られており、「子供や大人の手形が車や服に付く」「トンネル内で老人の霊に遭遇する」などといった体験談が報告されている。

今度こそなにかカメラに写ったり、見えたりすることもあるだろうか——。あまり期待はせずに、物好きにも運転手役を買って出た友人とカメラマンの3人で、東京から現地までレンタカーを走らせること約5時間。中央道から、東海環状自動車道を通り、そこからバイパスを通って、険しい山道へ出る。ナビがあるにもかかわらず、途中何度か迷いながら、やっと「×」マークと「通行止」の表示がある標識を発見。どうやら、ここが目的地である。

トンネルを抜けた先が行き止まりなので、トンネル自体も我々のような物好き以外に訪れる者はおらず、ほぼ〝廃トンネル〟に近い。トンネルの手前で下車して、懐中電灯片手に徒歩でトンネル内に入った。周囲に人の気配はまったくない。

そもそもトンネル自体、心霊スポットになりやすいのだが、ここが他よりも不気味なのは、曲がりくねっているために反対側の出口の光がまったく届かないためだ。まだ夕方であったが、真夜中のようだ。心なしか、漂う空気は淀んだ冷気を含んでいる気がする。

壁のあちこちに描かれた心ない落書きをライトで眺めながら歩いていると、先頭を行くカメラマンが、「あっ！」と声を上げた。「今、なにか横切った！」と言うのだ。

立ち止まって筆者も目を凝らすと、トンネルの上のほうを黒いものが横切った。思わずギョッとしたが、どうやら幽霊などではなく、コウモリのようだ。ライトもないトンネル内に、いつの間に住みついたのか。

その後、およそ300〜400メートルは歩いただろうか、トンネルを抜けると、そこからはまったく舗装されていない山道が続いていた。この先は行き止まりである。

一刻も早く外に出たいと本能が叫んでいる

じつは、この二股トンネルは別に第二のトンネルがあり、朝鮮人が埋められたというのは、こちらの第二トンネルのほうだといわれている。そこは、今通ってきたトンネルの横にあった。中は屈まないと入れないほどの狭さで、どうやら手で掘られたというのは間違いなさそうだ。中を見ると、誰かが住んでいたのか、テントのようなものを発見したが、人のいる気配はなかった。少し奥に行った先は、完全に人為的に埋められて行き止まりとなっていた。

中に入ると、なんともいえないイヤな感じがする。霊感などないはずだが、一刻も早く外に出たいと本能が叫んでいるかのようだ。人柱の噂が本当かどうかはわからないが、実際に多数の人骨が発見された常紋トンネル（北海道）のような例もある。ただの噂というだけでは片づけられないものがある。我々は、人柱があるかどうかはともかくトンネル工事中に亡くなった方々を偲び、手を合わせてから、引き返すことにした。

帰り路。先ほどと同じトンネルなのだが、曲がり方が逆のためか、違うトンネルに迷い込んだかのような錯覚にも襲われる。トンネルの不気味な空気を感じながらほぼ無言で歩みを進め、中央の車避け（くるまよけ）で広くなっている箇所に差し掛かった。

そのときだった。背中にふと誰かの手で撫で（な）られたかのような感触を感じた。振り返ると、運転手の友人は後ろにいたが、彼の両手は地図と懐中電灯でふさがり、さらに手が届かない３メートルほど後ろにいた。カメラマンは私の前にいる。

周囲を見わたすが、もちろんなにもない。不意に立ち止まった私に友人が怪訝（けげん）な顔でライトを照らしてきたが、私はなにもなかったかのように装い再び歩き出した。

霊感ゼロの私が、こういった取材で心霊現象の類（たぐい）に遭遇したならば、むしろ嬉々（きき）として語るところだが、あのとき背中にたしかに感じた手の感触の体験は、逆にしばらく経つまで打ち明けることができなかった。

後日、映像や写真を確認しても、カメラにはなにも写っていなかった。単なる勘違いだったのかもしれないが、もし霊が本当にいたとしたら、手を合わせたことへのお礼だったのか、はたまた冗談半分で訪れたことへの怒りだったのか――。いずれにしろ100を超える心霊スポットを訪れたことがある私が、唯一体験した異質な体験であった。

二股トンネルは、いずれ近くの新丸山ダムが完成した際には水没することになる。しかし、なにかに食い止められているかのように、工事は凍結をくり返している。現在、完成予定は2036年度となっているが、果たして……。

屈まないと通れない狭さの手堀りのトンネル。奥は埋められて行き止まりになっている

途中曲がっているため、トンネル内は漆黒の闇と、不気味な空気で淀んでいた

突撃取材！ 新宿・歌舞伎町 〝プチぼったくり〟居酒屋の実態

取材・文●金崎将敬

飲み放題1200円。一見お得な客引きの提案

東京の繁華街に出没する、ＥＸＩＬＥ風のイカつい客引きの男たちを見たことはないだろうか。彼らは通行人に「居酒屋お探しじゃないですか？」「個室のお店、ご案内しますよ！」などと、威勢よく声をかけている。しかし、彼らが誘導する居酒屋には〝プチぼったくり〟のところが少なくないという噂がある。現在客引きは、都条例で禁止されている行為だ。真相をたしかめるべく、記者は新宿歌舞伎町へ向かった。

夕方17時半、アルタ前から歌舞伎町まで歩いていくと、客引きがそこかしこに立っていた。そのなかの1人が早速、記者に声をかけてきた。20歳そこそこだろうか、金髪にヒゲを生やしており、典型的なＥＸＩＬＥ系だ。ちょっと怖い。

「居酒屋お探しっすか？　いいお店ご案内しますよ！　個室飲み放題１５００円でどうでしょう」

立ち止まって「うーん」と考える記者に、客引きのＥＸＩＬＥは「特別に、飲み放題１５００円をお１人様１２００円まで下げますんで！　いかがっすか？」と言ってきた。それなら安いと承諾する記者を前に、ＥＸＩＬＥは店に電話をかけ始めた。

「今からお２人さま、飲み放題１２００円でご案内します。はい、はい。ではご案内します。すいません。今電話で個室の予約取れました。ここから歩いて30秒ほどなんで。あ、お１人様フード１品の注文をお願いします」

記者が連れていかれたのは、１階が銀行で、そこから上に居酒屋が複数入居している比較的新しい建物だった。このビルの６階だという。エレベーターを降りると、すぐに席に通された。しかし、テーブルは２人用にしてはたいへん狭く、しかもテーブル間はカーテンで仕切られているだけ。最近はこれを個室というのだろうか……。

とりあえずお通しの塩辛をつまみながら、ビールを注文したのだが、これがなかなかにマズい。飲み放題のため、薄いのは想定の範囲内だとしても、鉄のようなニオイがする。まったく清掃してないサーバーから注がれた発泡酒だろうか。

フードメニューは高めで、枝豆が５８０円、マグロ刺身５８０円、軟骨唐揚げ４８０円、鶏唐揚が７８０円だった。味は値段相応とは言い難く、明らかに冷凍食品だと思われた。

飲み放題にもかかわらず、アルコールを注文をしても、届くまでに時間がかかる。

ハイボールを頼んだのだが、ゆうに10分はかかった。

カーテンで仕切られているだけなので、隣席の会話が丸聞こえで、どうも落ち着かない。席の近さのせいでタバコの煙も近づいてくる。早々と、店を出ることにした。

記者の怒りに火を付けた406円の〝奉仕料〟

料金は2人で7890円だった。なかでも、ケチなことでは人後に落ちない記者が見逃せなかったのが、奉仕料として含まれていた406円だった。記者の怒りに火が付いた。

「あの、こんなの聞いてないんすけど」

「いや、メニューのほうに書いてありますので」

「いや、書いてるっていっても、裏側にこんなに小さく書いてあったら読まないでしょ」

「いえ、そういうシステムでして」

「店に通したキャッチの兄ちゃんはこんな説明しなかったよ？　呼んできてよ」

「街頭のキャッチは別会社で契約しているだけですので」

「でも説明はされてないよ？」

「当店ではこういうシステムですので」

最後まで納得いかなかったが、仕方なく支払うことにした。

「カードでお願いします」

いったん、レジに向かった店員だが、すぐに戻ってきた。

「すみません、カードはお使いいただけません」

このように踏んだり蹴ったりの居酒屋取材だったわけだが、キャッチはどのようにして、客を集めるのだろうか。現在も恵比寿や横浜でキャッチをしている金子源太郎（仮名・24歳）氏に話を聞いた。

「声かけは片っ端からします。でも『居酒屋いかがっすか？』と声をかけても『予約している店があるんで』と断られるケースが大半です。そこで諦めたら試合終了です。ぼくは予約している店を聞いて、『あ、じゃあウチのグループですね！　お店の場所は変わっちゃうんですけど、キャッチのぼくを通したほうが安いんでご案内します！』と言います。こっちが契約している店に連れてっちゃうんです。あとで、客が予約している店に電話をかけて、予約をキャンセルしてしまえば問題ないですしね。忘年会シーズンの二次会はアツいですね。十数人の客を引けば、１回で数万円のバックが入りますから」

金子氏の報酬は、キャッチ専用の派遣会社から支払われる。各居酒屋とは派遣会社が契約をしており、金子氏は居酒屋とは直接関係のない立場になっている。それゆえ、店でトラブルになってキャッチを呼べと言っても、無理な話なのだ。

「サービス料とか席料を５００円ずつ取って、料理のメニューが焼鳥４本１０５０円とかです。90分９８０円で飲み放題、それとフード1品といってもちょっと食べても客単価は４０００円くらいになるかな。ぼくらの稼ぎは月に30万円くらいですが、稼ぐヤツだと60万円とかいきますね」

やはり、客引きに付いて行っても、いいことはないのだ。居酒屋は自分で調べ、自分で選ぶにかぎる。

歌舞伎町内に何カ所も立つ客引きを注意喚起する看板。ぼったくり居酒屋へと誘導する手口は条例で規制してもイタチごっこが続く

路上居酒屋キャッチの収入は、多いと月に60万円以上になる者もいる。酔っ払って二次会の店を探している団体客はとくに狙われる。面倒でも居酒屋は自分で選ぶにかぎる

食のタブー！ゲテモノ料理を食す！

取材・文●本誌編集部

「食糧危機を乗り切るため、虫を食べよう」

2013年にFAO（国際連合食糧農業機関）は、将来の人口増加による食糧危機問題を解決するたんぱく源が昆虫であるとする報告書を発表。積極的に「虫を食べよう」と呼びかけた。これを受けて、日本では都内を中心に「昆虫食」イベントが開催され、セミを採って食べる「セミ会」などが人気となった。これまで「ゲテモノ」と嫌厭してきた食材も、食糧難となれば喜んで食べるしかない……。

そこで今回、うんこやゲロなど数々の「ヤバい」ものを食べてきた元スーパーハード系AV女優の白玉あもさんと「ゲテモノ料理」を扱う「珍獣屋」「朝起」「千里香」「米とサーカス」の4店に潜入取材を敢行。虫だけでなく、犬、カエルなどタブーな食材の入荷方法とその味を調査した。果たして、ゲテモノ料理はうまいのか？　未来を救うかもしれない食材を実食！

成人ワニの手一本揚げ・３４８０円・「珍獣屋」

一瞬、フライドチキンのようにも見える20センチほどの巨大な肉。正体はワニの腕だ。

「ワニといわれなければ、ちょっと筋肉質な鶏肉かと思うほど味は似ています。身が引き締まっていて美味しいです。ただ、ところどころ筋っぽい部分があるので食べにくいかも」（あもさん）

いったい、どこからやって来たワニなのか、店員に聞くと驚きの答えが。

「オーストラリアの入江やマングローブに生息する野生の『イリエワニ』です。冷凍で手から腕にかけての部分が運ばれてきます。食用として育てられているわけではないと思います」

調べてみればイリエワニのオスの平均全長は5メートル。人を捕食することもある大型のワニだ。オーストラリアでは保護動物に指定されて以降、個体数が爆発的に増加し人を襲うことも増え、社会問題となっている。増えすぎたワニの処遇に困り、捕獲したものを食用として輸出しているということだろうか。口にしたこのワニが人を襲っていたら……と思うと、ちょっと恐ろしくもなる。

唐揚げの先には赤ちゃんの手ほどの大きさのワニの手が。この部分は食べられないので、握手をしたり触ったりして楽しむ

ゴキブリの唐揚げ（4匹）・1280円・「珍獣屋」

地球上で食べたくない生物の代表格といえばゴキブリだろう。しかし、「珍獣屋」で提供されるゴキブリは、日本人が見慣れたアレとは異なる姿をしている。

「このゴキブリはデュビアという種類でアルゼンチンが原産です。アルゼンチンで食用として大量飼育している人がいて、そこから仕入れています。サイズも小さく、平べったさがない。日本のゴキブリとはまったく違いますよね」（店員）

カラッと素揚げし、塩を振ったゴキブリ。羽根のあるもの、ないものがあるがオスメスの違いによるものらしい。意を決し、いざ食べてみると……。

「羽があるほうは香ばしくてカリカリとした食感。ないほうは身がしっかりあって、ほんのりと甘い。芝海老の唐揚げのような感じでしょうか」（あもさん）

戸惑いながら食べた割には、ビールに合いそうな意外といける味。しかし、この一匹で300円とは、かなりの高級品だ。

デュビアのサイズは4センチほど。色や模様はゴキブリといった感じだが、日本のものと違い、動きはゆっくりで飛ぶこともないという

ウーパールーパー一本揚げ・1980円・「珍獣屋」

一時期ペットとして人気となったウーパールーパー。正式名はメキシコサラマンダーという両生類で、のんびりとした動きが「癒やされる」と80年代にブームに。じつはこの生物、生息地では食用にされたこともあったらしい。

「よく見るウーパールーパーって薄いピンク色をしているけれど、これは茶色。ペット用とは違う種類なんです。日本で食用にできるよう育てている人から買っています。無理に成長をさせる薬を使っていないので、体も小さいのです」（店員）

体長は15センチほど。油で揚げられた姿はほとんどイモリの黒焼きのようだ。

「海老や白身魚のような味。思ったよりも柔らかくて食べやすい。骨のカリカリした食感もいいですね」（あもさん）

イモリのような毒々しさはなく、癖のないさっぱりした味。今、密(ひそ)かに「食べる」ウーパールーパーブームが来ているそうだが、育てている人が少なく、大量入荷ができないとのこと。一般に広がるには時間がかかりそうだ。

可愛らしい見た目はどこへやら、かなりグロテスクな外見に変貌してしまったウーパールーパー。ハサミで解体するときには罪悪感が芽生える

ブタの金玉刺身・時価・「朝起」

耳や子宮、内臓まで無駄なく食べられるブタだが、「金玉」を食べさせてくれる店は少ない。「朝起」の看板メニュー、「金玉の刺身」をオーダーすると出てきたのは鮮やかなピンク色をした肉。昔は生で提供していたらしいが、今は法律上の問題でほんのり茹でてあるようだ。

「卵黄とニンニク、ネギを混ぜて食べるので肉そのものの味はあまりわからない。後味は精力がつきそうな雄っぽい感じ？　独特なのは食感。他の内臓のよりもとにかく柔らかくふわふわしている」（あもさん）

しかし、他店では絶対に見かけない「金玉」。普通は捨ててしまうようだが、「金玉だったらなんでもいいわけじゃないから、ウチは食べられるものを特別に仕入れてるの。40年間店をやってるからできることなんだよ」（店長）と言う。かなりレアな食材らしいが仕入れルートは企業秘密のようだ。

卵黄とニンニクが添えられ、いかにも精力がつきそうな見た目をしている。ピンク色の肉がなんとも生々しい

カエルの丸焼き・時価・「朝起」

都会ではなかなかお目にかかれないウシガエル。これも「朝起」の人気メニューだ。大胆にも刺身の姿盛りも過去にはあったのだが、今は丸ごとの塩焼きのみ。たまに居酒屋で見かけるアマガエルの串焼きにくらべ、脚部分だけでも10センチ以上ある身は食べるところがたっぷり。

「味は白身魚のような感じで、身は意外と柔らかい。泥臭さも全然ありません。これは美味しいです」(あもさん)

はじめは淡白な味に感じるが、噛めば噛むほど旨味が出て箸が進む。

気になるのは仕入先、ヘビのように駆除目的で捕まえた人々から買っているのかと思いきや、「普通に築地で仕入れているんですよ。意外でしょ?」(店員)と言う。食糧危機になれば、真っ先に確保したい食材かもしれない。

足には引き締まった肉が詰まっており、食べ応えありの一品。ウシガエルは「食用ガエル」という別名を持ち、世界各地で食べられ、養殖されているのだとか

犬肉鍋・2人前(小)・4980円・「千里香」
犬皮と肉大皿・2680円・「千里香」

ゲテモノ料理の代表格、犬鍋。朝鮮半島周辺では「補身湯(ポシンタン)」と呼ばれ栄養を補う薬膳のような料理として知られる。同行した編集者が10年ほど前に新大久保で食べたときは、肉の臭さに悶絶したそうだが……。

「スープは塩味で香辛料の独特な匂いはするんですが、臭みはない。付け合わせの辛い調味料を入れてしまえば犬鍋とはわからないかも。肉はパサパサしたチャーシューとかジャーキーのような食感です」(あもさん)

10年かけて肉の保存状態がよくなったのか、味付けがアレンジされ食べやすくなったのか、「犬を食べている」という良心の呵責(かしゃく)を除けば普通に食べられるレベル。使っているのは「中国から仕入れた食用犬。肉は冷凍された状態で日本に入ってくるから、解体しているところは見たことがない」(店員)と言う。しかし、いくら食用犬とはいえ、犬を食べているということに心が痛むのは事実だ。

「千里香」のメニューには犬肉専門のページが。都内でもここまで安定して犬肉を仕入れている店は少なく、また味にも自信を持っているようだ

少し白濁したスープの中には犬肉がたっぷり。野菜などの具材はほとんど普通の鍋と変わらないが……。「やっぱり犬だと思うと箸が進まないかも。慣れてくるとはいえ、独特の匂いがあります」（あもさん）

犬鍋と一緒に注文した犬の皮と肉の盛り合わせ。パクチーや付け合わせの辛い調味料により味はイケる。プルプルとした食感のコラーゲンが美容によさそうだ

蚕の串焼き・210円・「千里香」

親指の先ほどもある黒い物体が串に刺さって運ばれてくる。中国の定番料理「蚕の蛹」の串焼きだ。韓国料理に使われる小さな蚕と同様に丸ごと食べれるのかと思いきや、皮と中にある黒い内臓部分は取り除いて食すらしい。

「汁は……なにかの出汁のような味でしょうか。埃っぽい香りがして、旨味は感じられない。スカトロ級かな」と、ここであもさんが初めて苦悶の表情を浮かべる。少ない身の部分はパサパサとして舌触りも最悪。指についた匂いも強烈だ。

「中国の物流センターから届くようにしてあります。中国の蚕といえば、このサイズが普通です。隠れた人気メニューですよ」と、女性店員は自慢げに語るが、従業員は「誰も食べたことがない」と言う。本当に人気なのか、かなり怪しい。

串焼き専用の機械で満遍なく焼かれる蚕。香ばしい匂いが漂ってくるわけでもなく、ただただ見た目がグロテスクで取材班一同は無言に……

タガメ素揚げ（6種の昆虫食べくらべセット）・1500円・「米とサーカス」
ヤギの金玉刺し　980円・「米とサーカス」
オオグソクムシ丸揚げ　1980円・「米とサーカス」

いかがだろうか？　名前を聞くだけで震え上がりそうな食材もきちんと調理されてしまえば、意外と美味しそうに見えるもの。あもさんも「ゲテモノと聞いていたので、初めは恐かったのですが、口にしてみればイケるものばかり。やはりお店で〝食べるもの〟として出されているだけあります」と話す。彼女が今回一番、マズイと感じたのは「圧倒的に蚕ですね。二度と食べたいとは思わない味です」と言う。彼女がAVで食してきたうんこやゲロ級のマズイ食材だったのは蚕だけだったようだ。ちなみに、白玉さんがこれまで食べた「食べ物」のなかで最も不味かったものを聞いてみると……。

「イベントでうんこ味のカレーをつくったときに材料で使ったチーズ。とにかくニオイが排泄物のような腐った臭いで……。開けた瞬間、誰もが嗚咽（おえつ）を漏らしました」

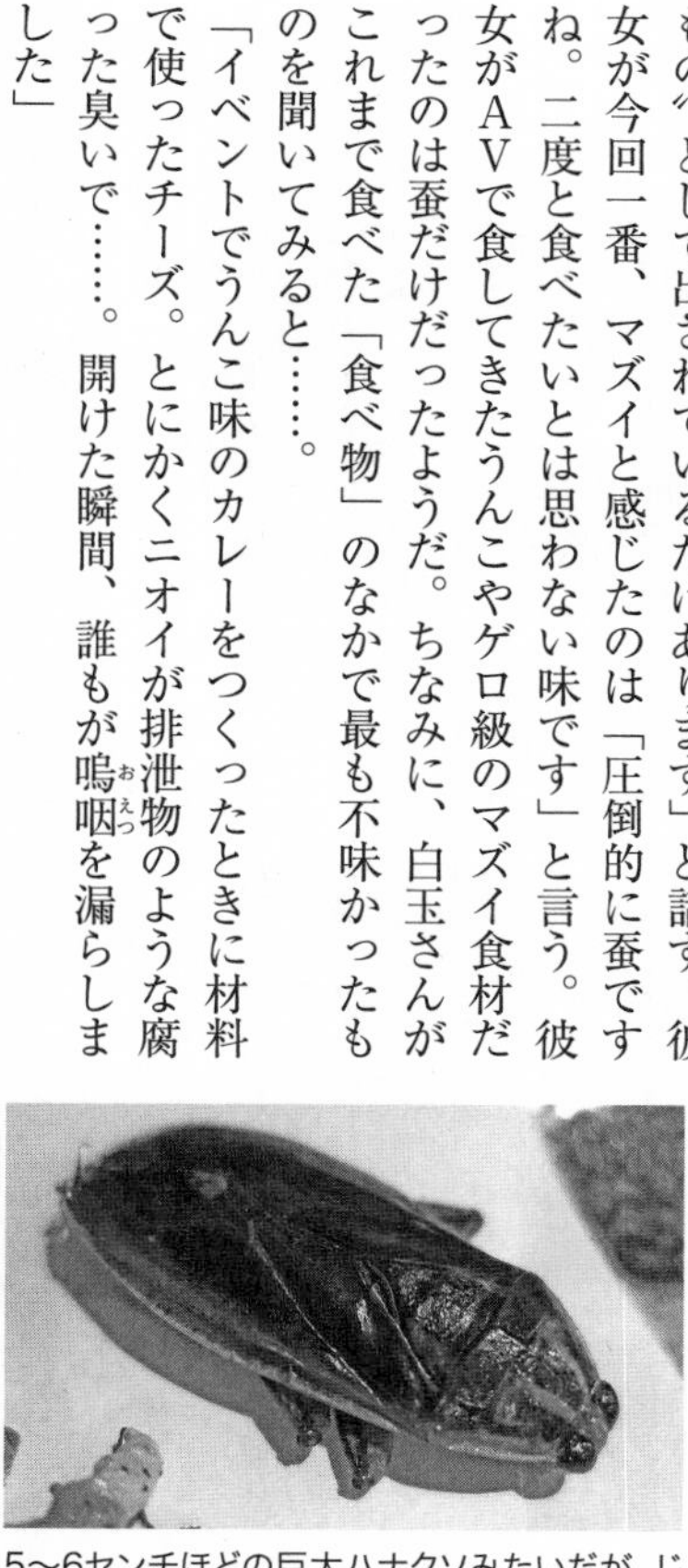
5〜6センチほどの巨大ハナクソみたいだが、じつは水棲昆虫のなかで最もどう猛なタガメ。マムシを食い殺すことも

食糧危機を救うかもしれない虫料理などのゲテモノ食。今のところ、そのほとんどが高価で、むしろ贅沢品ではあるが、未来に備えて一足先に体験してみては？

舌の上に転がすと、今にも溶け出しそう。コクのある白子のようだが臭くてまずい。ヤギの気持ちを想像し股間が痛む

深海生物オオグソクムシは個性的な見た目で密かなブーム中。ぬいぐるみやプラモデル、ふるさと納税の返礼品にも

白玉あも

しらたま・あも●1983年5月10日生。元スーパーハード系AV女優。現在は地下イベント、キャットファイト等に出演するカルトアイドルとして活動中。

第4章

老人たちの超タブー地帯

盗まなければ生活できない！老人たちの悲壮「万引き」現場

取材・文●伊東ゆう

ファンデーション泥棒で生計をたてる足が不自由な車椅子に乗る男性

年の暮れ、きらびやかなデコレーションに彩られたクリスマスムード漂う大型ショッピングモールの玩具売場。日本全国の年間万引き犯検挙数は2015年で7万5114人だったが、慌ただしいこの季節にも万引き犯は現れる。このショッピングモールで奪われたのは5480円の最新プラレールセット。盗んだのは74歳の老女で、大胆にも商品を胸に抱えたまま店の外に出たのだ。

「孫が欲しいって、ねだるもんだから……」

と老女は話す。

この季節になると一度は遭遇する犯行理由の一つであるが、かわいい孫へのプレゼントを万引きで調達する祖母の気持ちは理解しがたい。「そんなことをしていたら地獄に堕ちるよ」と、教えてやりたい気持ちにすらなる。今回は、過去17年で5000

人を超える万引き犯を捕捉してきた万引きGメンである筆者が、年の瀬に捕らえた2人の万引き老人について報告する。

【ケース1・伊佐道男（仮名・69歳）】

●被害品：ファンデーション　6個

合計：2万2800円

金曜日の16時過ぎ。都内にある大型スーパーにおいて、化粧品やドラッグ、日用品などを中心に販売するフロアを巡回していると、電動車椅子に乗った初老の男が化粧品売場に入っていくのが目につき、気になった。60代後半くらいに見える太めの男は、色褪(あ)せた古臭い服に身を包んでおり、使い古された感じのするレジ袋を左手に持っている。どことなく不潔な感じを身体全体から醸し出している印象の男だ。売場にそぐわぬことに違和感を覚え、連れがいるのかと周囲を見わたしてみても、店内は閑散としており該当する人物は見当たらない。

男の目的を探るべく行動を見守っていると、右手に握った小さなレバーで電動車椅子を巧みに操り、無駄のない動きで高級化粧品が並ぶ棚の前で車輪を止めた。そして、左に90度回転して商品棚と向き合うと、目の前に並ぶファンデーションの値札を鋭い目つきで睨(にら)んだ。どう見ても尋常ではない様子に目を離せないでいると、ファンデーションを鷲掴(わしづか)みにしてはレジ袋に入れるという行為をくり返した。

「足がないから仕事もできない。見逃してくれよ……」

ほんのわずかな間に合計6個のファンデーションを手にした男は、車椅子に座ったまま自分の左大腿部を右手で持ち上げ、尻の下にレジ袋を隠してから電動車椅子を発進させた。尻の下にある商品を潰さないようにしているのだろう。尻を浮かせて斜めに座る男の姿は異様でおかしい。そのまま出口に直行する電動車椅子のあとを追い、店外に出たところで声をかける。

「こんにちは、店内保安です。化粧品の代金、お支払いいただきたいんですけど……」

「は？　な、なんの話だ？」

「お尻の下に隠したファンデーションのことですよ。ちゃんとおカネ払わないと……」

「こんな身体で、そんなことできるわけないだろう。よく考えてから声をかけろ。この、バカ野郎！」

言葉を吐き捨てると同時に、右手にあるレバーを前に倒した男は、制止を振り切って電動車椅子を発進させた。今まで多くの万引き犯を捕らえてきたが、電動車椅子で逃走されるのは初めてのことだ。咄嗟に後部の持ち手を掴むも、電動車椅子の馬力に引きずられて完璧には制止できない。やむなく前面に回り込んで、仁王立ちして押さえつけたところ、ようやく止まった。

「化粧品なんか知らないぞ。早くどけ！」

まったく話にならないので、身をよじって暴れる男の身体を持ち上げて、半ば強引な形でファンデーション入りのレジ袋を押収する。それを面前に突きつけると、途端におとなしくなった男は、観念した様子で事務所への同行に応じた。

「足がないから仕事もできないし、生活保護だけじゃあ食っていけないんだ。後生だから、見逃してくれよ……」

事務所に来ると一転して犯行を認めた男は、ズボンの裾をめくって義足を見せつけ、身体障害者手帳を片手に許しを請い始めた。同情するふりをしながら話を聞けば、近隣各店で化粧品を専門にした万引きをくり返し、盗んだモノをネット販売することで生計をたてているようだ。「1日、5個」という具体的な目標まで持っているというから、万引きが仕事といっても過言ではない状況だ。

「おれを轢いた相手が無保険車で、大した賠償を受けられなくてさ。それで治療費がかさんで、女房子供に逃げられたんだ。この足に免じて、許してよ。もう来ないから……」

都合よく弱者になる男を無視して、その身柄を警察に引き渡すと、複数の余罪が判明して逮捕されることになった。近隣店舗から映像つきの被害届が出されており、そこに映る被疑者と酷似しているというのだ。いつまでも自分の状況を変えられそうにない男は、どのような余生を過ごすのだろうか。その末路が獄死でないことを祈るばかりだ。

数週間で何度も警察のお世話に。食べられないほどカネのない老婆

【ケース2・小林セツ（仮名・89歳）】

●被害品：

さつまいも　4本　356円
サバ缶　3個　384円
合わせみそ　1個　258円
砂肝いため　1個　248円
蒸しパン　1個　128円
ホワイトチョコレート　1個　98円
ストロベリーチョコレート　1個　98円
ジャガイモ　1個　92円

ニンジン　1本　92円
計14点
合計：1754円

昼の買い物客のピークも過ぎた13時。都内の下町にある食品スーパーで、商品のさつまいもを二つに折って自分のバッグに入れている老婆を見つけた。小さな身体を小刻みに震わせながら、よちよちと歩く姿は危うく、いつ体調が急変してもおかしくない状態に見える。どこか痛々しくて正視に耐えない状況であるが、商品を破損して隠匿する場面を目撃してしまったからには、その行く末を確認しなければならない。

しばらくの間、老婆の行動を注視していると、野菜や缶詰、菓子などを手に取っては自分のバッグに入れるという行為をくり返している。普段は柔和と思われる老婆の顔つきは、もはや悪人にしか見えない表情に変化している。スローー再生のような動きで歩く老婆を追尾すること、2時間半。結局、なに一つ買うことなく店外に出た老婆に声をかけると、震えながらも素直に犯行を認めたので、店舗入口脇にある来店者用車椅子に乗せて事務所に同行する。

「おばあちゃん。今日は、どうしたの？」

「胸の手術をするために、年金を前借りしちゃったからカネがないの。悪いとは思ったんだけど、食わないと生きていけんでしょう……」

なんともいえない悲壮感を漂わせる老婆の、痩せて骨ばった小さな身体を見ると、数日間食べていないようにも見える。

「今、いくら持ってるの？」

「これしかないのよ……」

車椅子の上で茶色のがまぐちをひっくり返した老婆は、手のひらに出した小銭を差し出した。老婆の所持金は、たったの23円であった。少しかわいそうな気もするが、商品を買い取れないうえに頼れる身寄りもないというので、やむなく警察に引き渡すことにする。

「また、ばあちゃんか……」

駆け付けた警察官が、老婆の顔を見るなり天を仰いだ。ここ数週間で、この老婆に関する通報を受けたのは3回目なのだという。短期間に犯行をくり返す老婆の扱いに悩んだ警察は、一旦逮捕したのちに、勾留に耐えきれないとして身柄を釈放。在宅調べで捜査を進めることとした。カネがなく生きるために万引きをする老婆を起訴して、罰金を徴収したとしても、犯行をくり返させるばかりで問題は解決しない。負のスパイラルに陥った老婆が、万引きに頼らず生活できる日は、果てしなく遠い。

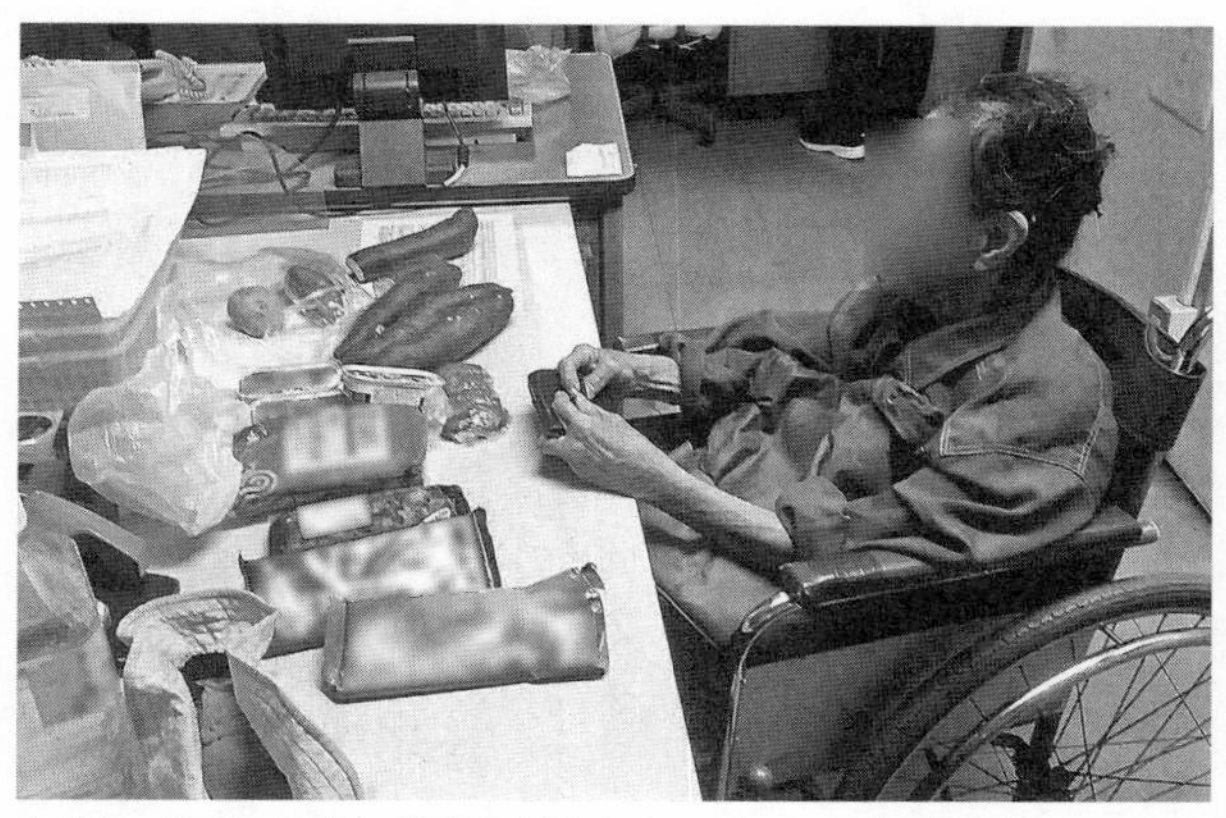

小林セツ（仮名・89歳）。栄養価が高く、かさばるものばかりを盗んでいるが、罪悪感からか安価なものばかり。細い腕が痛々しい

「四国最強の風俗地帯」にある〝最果てのちょんの間〟潜入記

取材・文●ESライン

老衰して抵抗できない老婆とゴムなし、歯茎フェラを堪能……

愛媛県松山市は風俗ユーザーの間では「四国最強の風俗地帯」といわれるほど、風俗店が多い。道後温泉界隈には1階から最上階まですべてファッションヘルスが入っている「ヘルスビル」が何棟もある。また、デリバリーヘルスも、現地の風俗情報誌に掲載されていた広告数から一時期は200軒を超えていたことも判明している。

そして裏風俗もいろいろな意味で凄いものがある。なかでも有名なのが、一部で「最果てのちょんの間」と言われる土橋（どばし）である。生理が上がっているからゴムなしは当たり前。総入れ歯を外しての「歯茎フェラ」も堪能できる。老衰して抵抗できない老婆に好き放題できる……つまり、老婆しかいない「ちょんの間街」だというのだ。しかも、身寄りのない老婆が生活のために在籍しているという噂があり、〝人生の行き着くところ〟であるから「最果てのちょんの間」といわれているという。その結果、現在の客は「仲間内での罰ゲーム」などで強制的に行かされる者がほとんど、とのことだ。

一帯には、たしかに割烹、小料理屋といった体の店舗が十数軒ある。しかし、どれもがいかにも空き家で、しかも人がいなくなってから数十年は経っていそうな佇まい。さらに、ちょんの間〝街〟とはいえ、現在も営業しているのは1軒のみ。そして、この最後の1軒だからこそ「行き着いた老婆のみ」が在籍しているのだ。ただ、その最後の1軒も最近では不定期営業になっており、この先、営業が急に途絶える可能性も大きい。そこで、11月某日に潜入を試みた。

土橋エリアへ行くと1軒だけ、怪しいピンク色の光を放っている店がある。周囲に人の気配はない。玄関先に立つと、中から「お遊び？」という声がして、80歳くらいの老婆が出てきた。そして、「今日は1人しかおらんけん」と続ける。

1人？　まさか、この老婆が？　そう心配していると、「安心せい。もっと若い娘がおるけん」と5000円を要求してきた。どうやら、それが料金らしいが、ちょんの間にしても安すぎる。

常連と罰ゲーム客を相手に少ない客を取り続ける

客引き老婆のあとをついて細く暗い階段を上がる。ただ2階へ上がるだけなのに、やけに長い段数に感じるのは、店内に漂うどんよりした空気が、そう思わせているのだろうか。案内された部屋で待っていたのは60代と思われる痩せ気味の女性だった。部屋があまりにも暗いのでよくわからないが、目尻などにシワがあるものの容姿は噂ほどひどくない。いろいろな意味で戸惑っていると、「兄さん、若いのに、よく来たけん。罰ゲームかい？（笑）」と、こちらの意図を見透かすように言う。

裸にされて、局部だけ脱脂綿のようなもので拭かれると、仰向けに寝かされた。正直なところ勃起どころではなかったし、しわくちゃな手で局部をしごかれてもと思ったが、悲しい男のサガというものなのだろう。しわくちゃ手コキが次第に感じるようになってきて、半勃起状態になった。すると、女性は根元を押さえ、さらにしごいてなんとかできる大きさにして「着ける？　着けない？」と聞いてきた。

一応、いろいろと恐いのでゴムを装着してもらうと、彼女が上から股がってきた。思ったよりも緩くないし、悪くはない。しかも、かなり激しく動いてこられたので、彼女の中で隆起していく自分自身がわかった。

「若い人（と言っても、こちらは40代後半だが）は来ない？」

時間が余ったので聞いてみる。

「酒の席での罰ゲームで無理やり来させられる人がおるねえ。そういうのはウチのプライドもあるけん。お金返して帰ってもらうけん（笑）」

噂通りである。それでは、他の客はどうなのか。

「40年通っている常連さんもおるけん。周囲の店が開いてないのは、（女性が）年寄りすぎて働けないという話があるけど、そうじゃなくて、道後やデリヘルに客を取られた結果よ。それを面白おかしく噂をたてられたから、よけいにお客さんが来なくなったけん」

どうやら、現在は昔からの常連、つまり老人客を相手に細々と営業しているらしい。そして、彼女は最後に言った。

「この界隈でウチが1軒だけ残ったのは、角地にあって他より目立ったからやろ。それでも、働いているのはウチ1人やけんね」

彼女が〝土橋で最後の女〟となるのだろうか。後日談になるが、これ以降、原稿締切日ギリギリまでチェックしたが、一度も店の灯りが点いている気配はなかった。土橋のちょんの間は、このまま消えてしまうのだろうか。

昼の土橋。夜、これらの店がすべて営業していたのは
何十年も前のことであり、今では廃墟街と化している

日本最安値！　1発2000円!!
浅草「老人援交」の敬老精神

取材・文●三戸玲

浅草寺の喫煙所にたむろする婆さんが、爺さんとラブホへ

それは2016年1月の下旬だった。少し遅い初詣をするために私は浅草を訪れた。浅草寺界隈は観光で訪れた外国人と日本の老人で溢れていた。老人たちは観光ではなく習慣として訪れているような雰囲気があり、それが老人の日常のように私の目には映った。初詣を終えた私は一服しようと浅草寺境内の外れにある喫煙スペースに移った。平日の昼間、多くの老人たちが煙をくゆらせていた。この輪のなかにいると、40代前半の私が最年少という状況だ。スマホをいじっていると、爺さん婆さんの会話が聞こえてきた。

爺さん「どうですかね？」

婆さん「私は2でかまいませんよ」

爺さん「ならば、そこのホテルで……」

数字とホテルという言葉の組み合わせに、「まるで援交みたいだな」と苦笑いした直後に、「まさか?」と思った。振り向くと、爺さんと婆さんが近くにあったラブホテルに入っていったのだ。両者とも70歳前後だろうか。

周囲を見てみると、ガラケーをいじる婆さんの前に同世代の爺さんが現れては指で2とか3をつくり、なにかを交渉。お互いにうなずくと界隈のホテルへ消えていく。なかには、時間を持て余していそうな爺さんに近づいて自ら交渉をする婆さんもいる。

もしかしたら、ここは老人の援交スポットなのか? 興味を持った私は周辺を見渡した際に目が合った1人の70歳ぐらいの婆さんに接触した。自分の息子と同じような世代の男性から交渉されたのだから、戸惑っているのは向こうのほうだ。

「僕、極度のマザコンなんです」と、出まかせのウソをついて交渉すると、「みんなと同じ〝2〟でいいわ」と言ってきた。

2でいい、とはいうものの、まさか2万円ということはないだろう。昨今のJKだって、そんなには取らない。であれば2000円か。非常に微妙な「2問題」だったが、結果は後者。

そして、近くのホテルへ向かった。世界的に有名な観光名所の浅草寺であるが、じつはその界隈には数軒のラブホがある。初詣帰りに「姫はじめ」をするカップルが多いということだろうか。しかし、ホテルに入るところである事実に気づいて愕然とした。婆さんと交渉した金額よりもホテルの休憩料金のほうが高いのだ。チェックインするなり、婆さんが「若い人に指名されるなんて嬉しい」と抱きついてきた。ほのかな香水の香りと仏壇の線香のニオイがまざった香りがした。

そのまま、ベッドになだれこんだが、70歳の婆さんの肢体は死体寸前といった感じでガリガリだ。正直なところ、少し力を入れただけでも骨が折れそうなので、抱くのが恐い。それでもなんとか、ゴム装着で発射に至ったが……。

熟女風俗店で指名がなくなり、出会い系で相手を見つける

気になったのは、彼女たちがなぜ、このようなことをしているのかである。すると婆さんから、「数年前からかしら。私は鶯谷の熟女風俗店にいたんだけど、60歳を過ぎると仕事がなくなって……」と、切り出された。以下は私が抱いてしまった清美（仮名）さんの話をまとめたものだ。

彼女は50歳のときに夫と死別。生活のために鶯谷のデリヘルで働き始めた。最初の3～4年は生活ができる程度の金額が稼げたが、次第に指名がなくなっていったという。お客さんが年金生活者になり、風俗店の正規の値段を払うのがキツくなったのでは、と清美さんは推測する。そこで、清美さんは店の同僚にシルバー世代のユーザーが多い出会い系サイトを教えてもらう。清美さんは最初、デリヘルと掛け持ちで出会

い系をしていたので、待ち合わせ場所として鶯谷からほど近い浅草を指定されるようになった。

値段については、「ない人から取れないでしょう」ということで、交通費と食事代になればいいかという考えで最低料金2000円で交渉したという。清美さんによれば、浅草にいる他の婆さんも同じようなものという。

いずれにしても、その根底には、カネのない老人男性へのボランティア的要素があるのだという。私は清美さんの話を聞いていて、「ない人から取れない」という考えに納得した。

清美さんが今のような生活を始めた5年前は、浅草で売春をする高齢女性は4～5人しかおらず、みんな顔見知り。しかし「最近は知らない顔が急激に増えた」そうだ。というのも15年12月に熟女専門出会い喫茶「HANAKO熟」全店が一斉に閉店し、そこを拠点としていた老女たちが浅草に流れてきたらしい。

清美さんを抱いてから10カ月。今回、最新事情を調べるために、再び浅草へ足を運んだ。

例の喫煙所近辺を観察すると、それらしき婆さんたちが10名弱。ひたすら交渉を待つ婆さんもいれば、積極的に声をかけている婆さんもいた。私も意を決し、1人の婆さんのもとへ交渉に行った。

「あんたは、若いから〝5〟ね」

1年弱で相場はなんと2・5倍に値上がりしていたのだ。何度食い下がっても、婆さんは1円も負けてくれなかった。その後、何人かの婆さんと交渉したが結果は同じだった。

やはり、ここは老人援交の聖地であり、爺さんになるまで来るな、ということなのか。もはや浅草は、カネのない爺さんへのボランティア援交の場所になっていたのだ。

もちろん、〝5〟を支払う気がなかった私は、浅草をあとにした。

石の上にも三年……というワケではないが、ひたすら男性からのコールを待ちわびている老婆。結局、この日、呼び出しはなかったようだ

積極的に客を取りにいっていたオバちゃん。
しかし、買い手が「若いから」という理由で
2000円が5000円に値上がりするとは……

全面摘発の噂を徹底検証

タブーの今!

かつてタイ人や日本人など
250名の娼婦が春を売っていた島

現地ルポ

"売春島"渡鹿野島は伊勢志摩サミットで消えたのか

取材・文・撮影●八木澤高明

江戸と大坂を結ぶ中継港に生まれた〝売春島〟

三重県志摩市にある渡鹿野島は、人口200名ほどの小島にすぎないが、かつては〝売春島〟としてよく知られた存在だった。伝承によれば、渡鹿野島の売春の始まりは、江戸時代まで遡る。

船が物流の中心を担っていた当時、江戸と大坂を結ぶ中間地点に位置する港として、渡鹿野島のある的矢湾一帯は大いに栄えた。水上娼婦たちが風待ちの船に乗り込み、身体を売ったのである。その後、航路は衰退し、船とともに水上娼婦たちも姿を消したが、売春の伝統だけは渡鹿野島に残った。

島の売春が、最も栄えたのは、1980年代だった。島全体で約250名の娼婦たちがいたといわれる。娼婦のなかには日本人もいたが、そのほとんどはタイをはじめ東南アジアから来た女性だった。今なお島に暮らす元水商売の日本人女性は、当時の盛況ぶりを懐かしむ。

「いやぁ、あの当時は凄かったな。毎晩夜祭りみたいで、肩と肩をぶつからせながら人が歩いていたわ。女の子もようけおって、スナックでも酒なんて飲まさんで、女の子をひな壇みたいにして並ばせて、その場で選ばせていたんよ。店も儲かって、儲かって仕方なかったよ。一晩で一斗缶が札でいっぱいになるんやから」

だが、記者が初めてこの島を訪ねた2013年、かつて売春島と呼ばれたこの島に、往時の面影はなかった。当時、タイ人娼婦に話を聞くと、厳しい現状が伝わってきた。

「みんな捕まっちゃったよ。昔は女の子がいっぱいいたけど、稼げないから、いなくなっちゃった。今いる娼婦は、島全体で13人だけだよ。8人がタイ人、5人が日本人ね。私は島のアパートで暮らしてて、そこにお客さんを呼んでる。アパートも空き部屋ばかりだから、周りを気にする必要もないしね。もう女も少ないから、なくなるよ」

廃れる一方だった渡鹿野島の売春産業。これに追い打ちをかけるようにして、2016年5月には伊勢志摩サミットが行われた。島からほど近い志摩半島に各国首脳が集まったため、厳しい摘発が行われ、渡鹿野島の売春は全滅したという噂が飛び交った。

今回、この噂の真相を確かめるため、記者は渡鹿野島を再訪した。

客引き老女すら消え、人の気配がない通り

小さな桟橋と沖に浮かぶ島の間を、ひっきりなしに船が行き来している。穏やかな凪(なぎ)の的矢湾に、船の曳(ひ)き波がささやかな文様を描き出していた。すでに陽は落ち、海辺に建つホテルのネオンサインが、水面に輝いている。3年前となにも変わらない風景を確かめると、桟橋から渡船に乗り、記者は島へ向かった。

しかし、5分もかからず島に着くと、そこに広がっていたのは、記者の記憶と異なる街の風景だった。かつて営業していたスナックも、ネオンが消えたままだ。通りには客の姿どころか、客引きの老女さえいない。というか、人の気配がない。

噂通りに島の売春は消えてしまったのだろうか。現地の人に話を聞くべく、記者はかろうじて見つけた営業中のスナックに足を踏み入れた。ドアを開けると、客の姿はなく、店主がぼんやりとした顔でテレビを観ているだけだった。

果たして、今も売春はこの島に存在しているのだろうか。そう問いかけると、スナック店主は、なんでもなさそ

深夜、渡鹿野島のメインストリートを歩く、タイ人の娼婦と日本人の客。娼婦の暮らしているアパートに向かうのだろうか、こうした光景はかつてありふれていた。2013年撮影

うにこう答えた。

「今も遊べますよ。女の子は家で待機しているんです。そうですね、人数は相変わらずで、今も10人くらいしかいないですね。島から売春が消えたなんてことはありません」

翌朝、記者は再び島へ渡り、あちらこちらを歩き回った。かつて娼婦たちが暮らしていたアパートには、まったく生活の気配がない。かつては、島の中を歩いているタイ人の姿も見かけたものだが、まったく見かけない。本当に売春は健在なのかと、疑いたくなってくる。港近くで会った60代の男性に聞いてみた。

「売春は今もやっとるよ。寂れたけどな。サミットがあるからって、摘発はなかったよ。ただ、サミットをやると決まってから、警察がよくこの島に来て、どんな人間がこの島にいるのか、1軒、1軒アパートを回って調べたのよ。なにか問題があっちゃいけないからな。それでタイ人の女の子が、ビザが切れてたかで、捕まったことはあったけど。売春を潰すための摘発はなかったな。外国人の女の子たちは、ずいぶん前から島を出てる。島から遠くない場所に暮らして、客が来れば島に渡って来るって感じみたいだな」

記者もタイ人娼婦が3年前に暮らしていたアパートを訪ねてみたのだが、男性の言葉を裏付けるように、そこには誰も暮らしていなかった。島の売春は今も続いてはいるが、もはや風前の灯だ。

　現在、この島で買春をするには、泊まった旅館やスナックを通じて、娼婦を斡旋してもらう必要がある。予約が取れたら、客は女性の部屋を訪ね、サービスを受ける。価格はショートが2時間で2万円、ロングが夜10時から朝7時までの泊まりで4万円ほどだ。

　長く島に住むこの男性は今なにを思うのか。最後に聞いてみた。

「世の中、きれいなところばっかじゃ面白くないでしょう。裏も表も必要だと思うけどな」

　そう語る男性の表情は、どこか寂しそうだった。

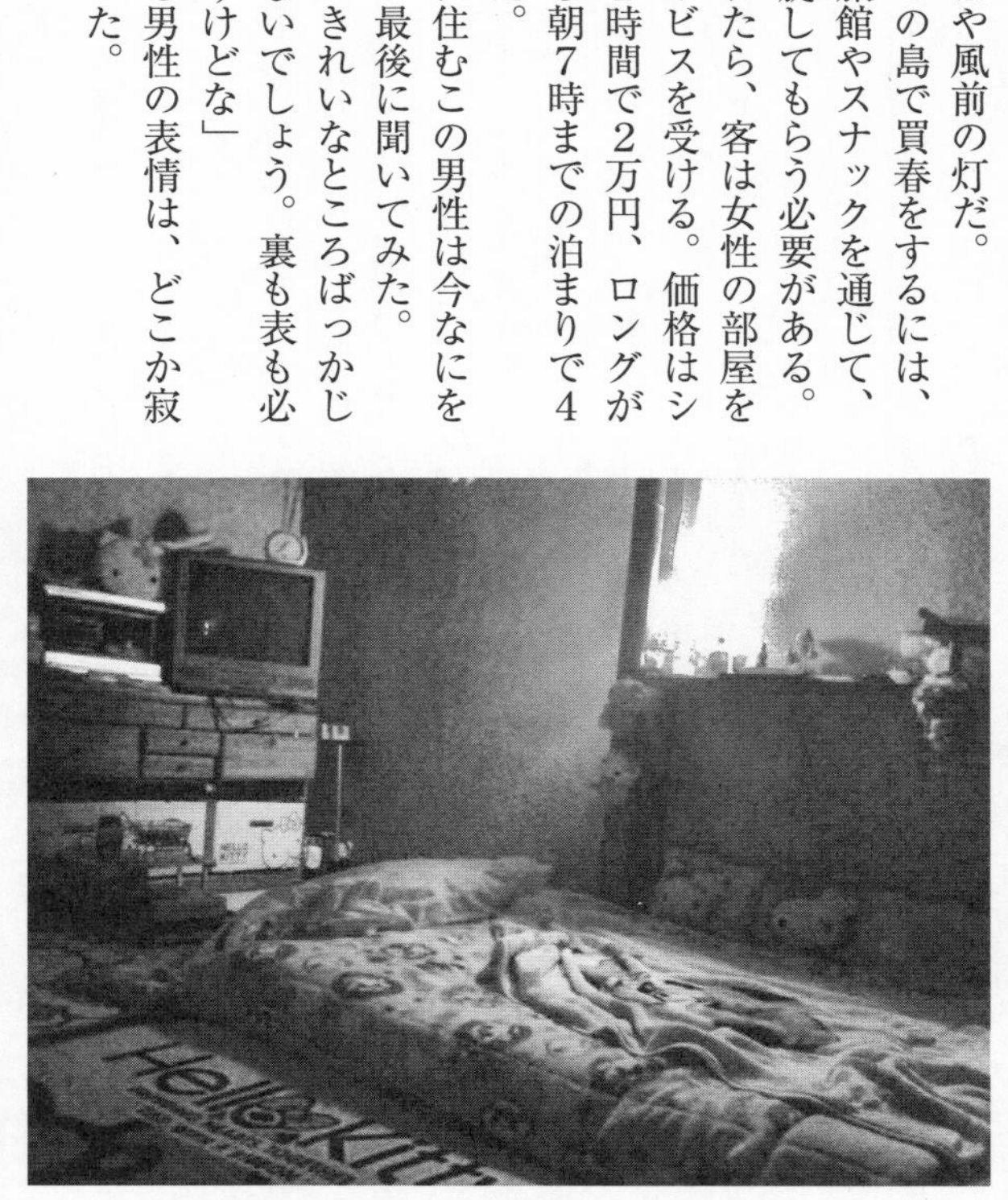

タイ人の娼婦が生活し、夜になれば客を招き入れていたアパートの一室。八畳ほどの部屋には国王の写真や仏像が置かれていた

島のいたる所にある娼婦たちが暮らしていたアパート。今では人の気配は消え失せ、彼女たちが使っていた生活道具だけが残されていた

今では廃墟となっている娼婦たちが暮らしていたアパートの一室。主人がいなくなってかなりの年月が経過しているのだろう。部屋の中は荒れ果てていた

島でかつて営業していたスナック。円柱の柱とドアにはめ込まれたタイルからはひと昔前の色街の名残が感じられる。こうしたスナックには常時娼婦たちが待機していたという

島を訪ねた日、営業していたスナックは1軒だけだった

渡鹿野島のメインストリート。かつては娼婦や酔客の姿を目にしたものだが、店のネオンは灯らず、猫一匹通りで見かけることはなかった。すでに島から売春の匂いは、急速に失われつつある

消えたタブー!

黄金町・真栄原・ススキノ・花畑・飛田・尼崎・徳島

江戸時代から400年続くちょんの間
日本の伝統的な裏風俗〝ちょんの間〟の絶滅危機

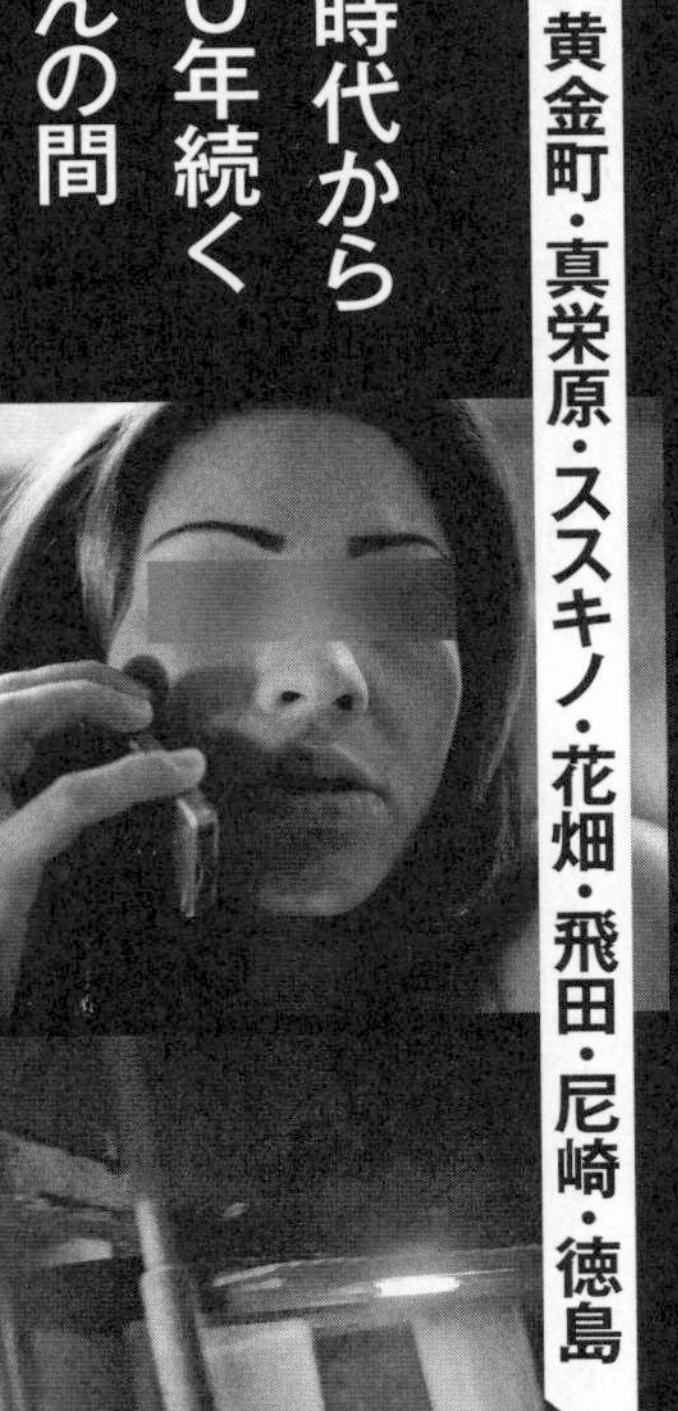

全国に300カ所はあったと推定。現在は摘発や高齢化で衰退の一途

横浜黄金町や北海道、沖縄をはじめとして、日本の各地に存在した「ちょんの間」は、布団が敷かれた二畳ほどの部屋で、女性から15分ほどの短時間の性的サービスを受ける場所だ。日本を代表する〝伝統的な裏風俗〟とでもいうべき存在で、かつては全国で営業していた。

日本各地にちょんの間はどれだけあったのだろうか。その正確な数は定かではないものの、一つの目安となるデータがある。ちょんの間をはじめとする売春を目的とした飲食店が建ち並ぶ特殊飲食店街・赤線地帯の数である。１９５７年に売春防止法が施行された際に、全国には１５００カ所の売春地帯が存在したという。

その後、ラブホテル街などに姿を変えた場所もあったが、そのまま裏風俗地帯として営業を続けた地域もあった。そう考えると、規模の大きなものから小さなものまで、かつての赤線地帯を中心に営業を続けたちょんの間は、50年代末から60年代前半にかけて、日本全国に少なく見積もっても３００カ所はあったと見られる。

しかし、ピンサロやソープなど性風俗の多様化とともに、ちょんの間は年々数を減らしていった。そして、２０００年代初頭になると、国家的な〝ちょんの間街浄化作戦〟が全国で始まる。05年には横浜黄金町、08年には札幌のススキノ、10年には沖縄の真栄原社交街、最近では久留米の花畑など、主要なちょんの間の街が摘発などによ

って消えていった。

さらに、これに輪をかけるようにして、日本経済の景気の低迷、さらには経営者の高齢化などによって、ちょんの間はさらに数を減らしていった。今では大阪の飛田や兵庫の尼崎、四国の徳島や高知など、数カ所しか残されていない。残された土地も、地方であればあるほど、働く娼婦たちの年齢も高齢化している。ちょんの間が絶滅する日も、そう遠くはないかもしれない。

ちょんの間の語源には諸説あるが、江戸時代の色街に遡る説が有力だ。江戸の吉原には、様々なランクの遊女がいて、最下級の遊女がいた場所を切見世と呼んだ。ここでは、懐具合が寂しい客のため、短時間かつ安値で遊女と遊ぶことができるようになっていたため、〝ちょっきり遊び〟や〝ちょんの間〟と呼ばれていたのだ。

江戸時代から400年近く続いてきたちょんの間も、もはや風前の灯だ。歴史の証言者になるべく、今のうちに遊んでおくのも一興かもしれない。

札幌カネマツ会館　五条東会館

札幌を流れる豊平川のほとりにあったカネマツ、五条東会館。2010年に摘発され、今では営業していない。働いていたのは日本人の娼婦たちばかりだった。年齢は若く、20代前半の女性も少なくなかった

函館柳通り

かつて50軒以上のちょんの間が密集していたという函館柳通り。地元では一発屋通りと呼ばれていたという。現在数軒が営業しているのみである。以前は店の二階にちょんの間があったが、今では近くのラブホテルを利用する

沖縄吉原

1951年米軍のゴミ捨て場に店が建ち始めた沖縄の吉原。盛時には200軒が営業。2010年以降の摘発により、灯りが消えた。戦後から始まる那覇市内にある栄町は、今も営業を続けているが、かつての勢いはない

沖縄栄町

伊勢崎　緑町

北関東を代表するちょんの間街であった、伊勢崎の緑町。娼婦たちの多くは若い日本人女性で、かつては夜祭りのような活気があった。今では、ちょんの間は営業していない。寂れた景色だけが広がっている

藤沢新地

藤沢駅からほど近い場所にあった藤沢新地。かつては70人から80人の娼婦がいたというが、今では朽ち果て、崩れそうな木造建築の建物が往時の面影を残しているのみである

長野　御代田町

タイ人娼婦たちがいた長野県の御代田(みよた)。彼女たちはスナックにいて、近くにあるラブホテルで春を売った。今でもスナックはあるが、売春は行われておらず、近隣のラブホテルは潰れていた

横浜　黄金町

かつて250軒のちょんの間が軒を連ねていた横浜黄金町。娼婦たちの多くはコロンビア人やタイ人で、日本人はごく少数だった。一晩で20人以上客を取る娼婦もいた。2005年の摘発により、灯りが消えた

横浜　若葉町

黄金町からほど近い場所にある若葉町では、中国人の娼婦や外国人の男娼たちの姿を目にすることが多く、まだまだ健在である

高知　玉水新地

今も数軒のちょんの間が営業している高知の玉水(たまみず)新地。娼婦や経営者の高齢化などで、店の数は減り続け、マンションなどに様変わりしている

徳島　秋田町

徳島の繁華街の南にある秋田町。明治時代からの伝統がある。かつての賑わいはなく、営業しているのは10軒ほどである

大阪　飛田

大正時代からの歴史がある飛田。今も女を求める男たちの姿が絶えない。
風情ある建物がこの街の魅力である

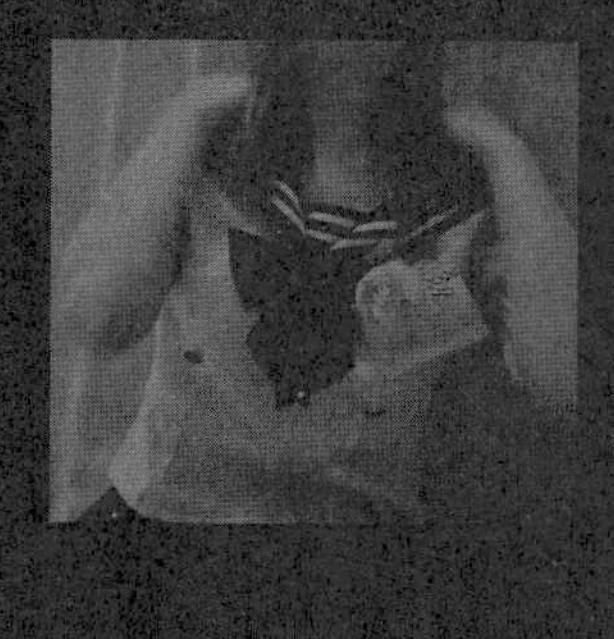

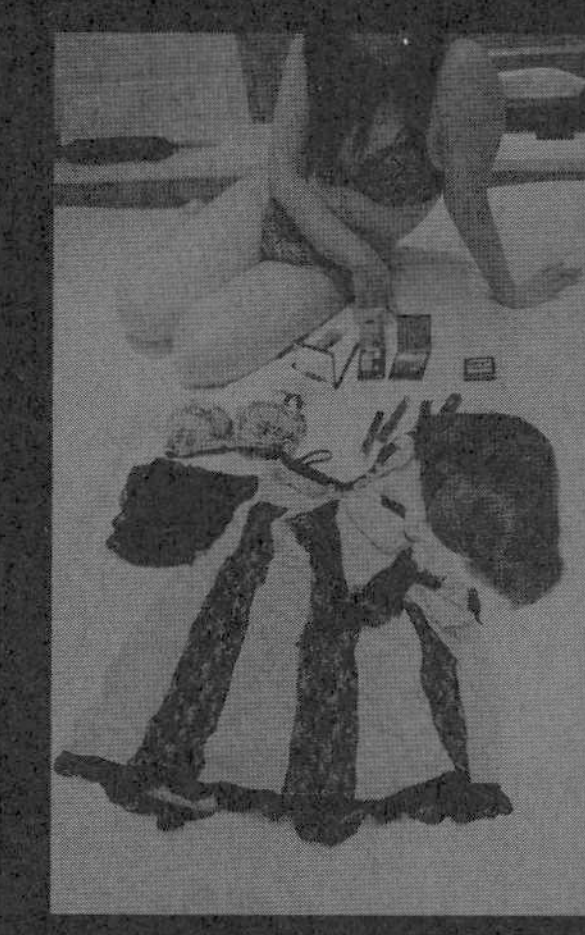

第5章

倒錯と変態の超タブー地帯

裏オプが蔓延、摘発は困難……「リアルJK」ビジネス最前線

取材・文●金崎将敬

3万円で本番、1万円でフェラ。JKビジネスのディープな裏事情

1時間6000円で、リアルなJKとお散歩ができると謳う東京の渋谷にあるO店。実際に店に電話してホームページに掲載されている女の子を指名すると、小柄で目がパッチリとした少女が待ち合わせ場所に現れた。名前は由香（仮名）ちゃんで、年齢は16歳だという。その幼い顔立ちからすると、年齢は本当のようだ。

「新宿に制服相席屋っていう店があったんですよ。うちの店はそこから移ってきた子がけっこういて、私もその1人。ほとんどの子が3万円で本番とか1万円でフェラとかの裏オプをやってた」

喫茶店に入り話を聞くと、由香ちゃんはJKビジネスのディープな裏事情をあけすけに語り始めた。

制服相席屋の店長・大塚光雄容疑者（35歳）は、2016年6月18日、風俗営業法

違反（18歳未満の接客の禁止）の疑いで逮捕されている。名目上は、ＪＫとお話をするという体裁の店だったが、裏オプション（裏オプ）が蔓延しており、カーテンで仕切られた一室では性行為が行われていたようだ。しかも、この店では客が女の子を２人まで指名することができて、男１人、女２人による複数プレイも行われていたというのだから驚きだ。制服相席屋の摘発後、そこで働いていた女子高生たちの多くは、18歳未満を雇用する他の店舗に移ったという。彼女たちは、移転先の店においても同様の裏オプを行った。

「客もだいたいエッチ目的。カラオケＢＯＸとかは見つかる可能性が高くて危ないからあんまり行かない。ホテルとか、あとは完全個室のマンキツに行ったりする。お茶飲んでもお金にならないし、だったらヤルでしょって感じで」

仮に18歳未満の女の子と金銭のやり取りをして性行為を行ったことが判明すると、客は児童買春・児童ポルノ禁止法違反で逮捕される。「五年以下の懲役又は三百万円以下の罰金」と定められており、決して罪は軽くはない。しかし、由香ちゃんの話を聞くかぎりだと、そんなリスクも顧みずにＪＫに群がる男たちは多いようだ。

ＪＫで儲けたい風俗店と警察のいたちごっこ

ＪＫビジネスが世間で騒がれ始めたのは、13年１月27日、秋葉原と池袋を中心とする都内のＪＫリフレ17店舗が、労働基準法違反などで一斉摘発を食らったのが発端。

ＪＫリフレとは、カーテンで仕切られた一室で、女子高生がマッサージなどを行う店だ。しかし、多くの店ではオプションで「ハグ」や「添い寝」などのメニューがあって、大半の客の目当てもＪＫとの肉体的な接触だった。

そして同年12月、ＪＫリフレに続いて警察の手が入ったのが前述のＪＫお散歩というサービスだった。捜査員が１００人態勢で秋葉原に出動し、15歳から17歳の「お散歩少女」13人を補導したのである。

その後、リフレやお散歩などのＪＫビジネスは法によって規制されるが、業者は規制の隙間をぬって続々と新たなサービスを立ち上げた。たとえば、女子高生がプロレス技を仕掛ける店や、女子高生の匂いを嗅ぐ店。さらには、女子高生が折り鶴を折るという「ＪＫ作業所」も現れた。いずれの店も摘発されているが、たとえ潰されようとも新たなサービスを考案する店が誕生する。まるでモグラ叩きのようで際限がない。

では、昨今のトレンドはどうなっているのか。池袋でＪＫリフレ店を経営する店長のＫ氏は語る。

「うちの店は学園系のリフレと銘打っていますが、女の子は全員18歳以上。これならもちろん法に触れません。都内だと、秋葉原や池袋にはけっこうＪＫリフレ店がありますが、おおむねどこも18歳以上の子しか雇っていない」

18歳以上であれば、風俗店などでも働くことのできる年齢なので、違法性は少ないといえるだろう。問題なのは、18歳未満のリアルな女子高生が働く店。つまり前出の由香ちゃんのように本物のＪＫのいるＪＫお散歩サービスだ。ＪＫお散歩などのＪＫビジネスを直接規制する法令はなく、現状は見過ごされているという。

「13年にお散歩少女が補導されたときも、警察は店じゃなくて、女の子を補導したでしょ？　店の摘発って難しいんです。

グレーなサービスをしていると疑惑のあったＪＫお散歩の『池袋ＧＵ探検隊』も２年近く営業していたけど、ずっと見過ごされていた。警察もずっとマークしていたんですけど、店を摘発できなかったんです」（同前）

ちなみに、『池袋ＧＵ探検隊』は、16年７月、店長が高校２年生の女の子に手を出したとして、児童福祉法違反の疑いで逮捕された。しかし、これも店の経営が問題視されたわけではない。まだしばらくの間は、違法なお散歩店は蔓延しそうだ。

たとえ自分の体を売ろうとも荒稼ぎしたい女の子が存在する。そして、たとえ逮捕のリスクがあったとしてもＪＫに手を出したい男も存在する。ＪＫビジネスは、双方の需要と供給が合致したビジネスであり、そう簡単にはなくならないのだろう。

JKリフレ店の写真。カーテンで仕切られた狭いスペースの中でハグや添い寝などのサービスを受けることができる。女の子たちはJK衣装を身にまとっている

女子小学生を中年男が取り囲む！
禁断の「ジュニアアイドル」撮影会

取材・文●三戸玲

1部9000円の6部構成。60歳を超えている男も参加

昨今、児童ポルノに対する締め付けが強くなったこともあり、ジュニアアイドルにも厳しい目が注がれるようになった。業界は完全な自粛モードで、現在は参加型のイベントもほとんど壊滅してしまったが、ほんの数年前まできわどい水着イベントが堂々と行われていたのも事実である。

数年前の6月の日曜日。いくつかの媒体でジュニアアイドル事情をレポートしていた私は、某社が都内で主催する撮影会にネットで応募し、潜入取材をすることになった。全6部構成、1部につき参加費9000円の撮影会で、私は午前中の2部分のチケットを購入した。当日指定されたハウススタジオに行くと、受付でモデルへの接触禁止や、動画の撮影禁止、ネットなどへの頒布を固く禁じる書面にサインさせられ、ようやく入場を許可された。

参加者は、客の男性25人に対して、11歳から12歳のジュニアアイドルの女の子たちが3人。案内された室内に入ると、空気は淀み、男たちの汗の臭いが充満していた。年齢層は平均して40代半ばというところ。若い男もいたが、逆に60歳を超えていると思われる男たちもチラホラ。これから撮影するアイドルたちと同年代の孫がいてもおかしくない年齢だ。

30分ほど待たされると、モデルたちが登場し、みなに向かって笑顔で挨拶。それを男性客一同が、穏やかな表情で眺めている。人のことは言えないが、誰もがまともに女性に相手にされたことがなさそうな顔ぶれである。

その後、いよいよ撮影会となったのだが、3人の女子小学生に25人の男たちが群がり、レンズを向ける構図は、かなりヤバい現場に来たと実感させるに十分な光景だった。取材とはいえ、自分もそのなかの1人に入っているということが、心苦しくなった。

水着の撮影会になると男たちの体温が上がった!

まず1部は私服撮影。白いワンピースやフリフリの子供っぽい服などに身を包んだ3人に対し、みな、ルールは心得ているのか、モデルに必要以上に近づきすぎる者はいない。

「こっち、視線お願いします」「両手をついてリラックスして」といったポージングの注文をしながら、静かにシャッターを切っていく。客の間で自然とヒエラルキーができるのか、積極的でコミュニケーション能力に長ける者たちが最前列に位置し、残りの臆病そうな数人は後ろのほうから無言でシャッターを切っていた。なかにはほとんどシャッターも切らずに、笑みを浮かべながら、ただその様子を眺めている男もいた。

そして1部が終了し、2部へ。いよいよ水着である。一旦控室に戻った3人が、まだ発展途上の身体をビキニで包み、再び現れると、明らかに男たちの体温が上がった。

水着であっても、さっきと基本は変わらない様子で撮影会は進行していく。男たちからのポージングの指示も、開脚や四つん這いのようなあからさまなものはない。

しかし、露骨に股間を狙っているようにしゃがみ込んでレンズを向ける男や、わざわざ真横に近い角度から撮ろうとしている男がいた。さりげなくその男の後ろに立ってみると、その理由がわかった。まな板のようなバストでは姿勢によってビキニが浮き上がることがあって、真横から見ると乳首がポロリとこぼれそうになる瞬間があるのだ。

休憩中に参加者の1人に話を聞くと、かれこれ3年ほど毎月行われるこの撮影会に参加し続けているという。しかも毎回6部全部、通しで参加するのだという。これはる。

金額にすれば、1日で5万円を超える出費であり、生半可な気持ちでないことがわかる。

たった3人のモデルに対し25人もの客がいる現場だったが、客同士で場所の取り合いで喧嘩(けんか)することもなく、表向きは和気あいあいと進行した撮影会。主催のスタッフにそれとなく聞いたところでは、客は紳士的で、おかしなトラブルはこれまで一切起きたことがないという。

ただ彼らは、撮った写真をなにに使うのか。売るためでないとすれば、想像に難しくない。とにかく（危ない意味も含めながらも）参加者の誰もが子供が好きだということだけはよくわかった。

現在、定期的に行われていたこの水着撮影会は開催されておらず、他でもジュニアアイドルの水着撮影会が行われている様子はほとんどない。あのとき参加していた男たちは、どこで溜まった欲求を発散しているのか、気になるところである。

幼い少女たちにカメラを持った大人の男たちが群がる撮影会。実際に目の当たりにすると、極めて異様な光景だ（写真はイメージです。本文とは関係ありません）

「警察御用達スナック」で目撃した〝狂気の宴会〟実況中継！

取材・文●金崎将敬

飲み癖が悪いのはヤクザより警察官

浅田次郎の小説『プリズンホテル』で、関東桜会大曽根一家の壮行会と、警視庁青山警察署の宴会が行われている最中に、会場であるヤクザ経営のリゾートホテルの調理場で、板長と名物シェフが交わした会話が面白い。

「ヤクザの壮行会と警察の宴会がフスマ1枚隔てた大広間で……ああ、いやだ。雰囲気が違いゾッとすらァ」

「大曽根さんに、あんまり騒がないようお願いしておきますか」

「逆だよ、シェフ。逆だから、むずかしいんだよ」

「えっ？」

「ヤクザってのは、毎日宴会やってるようなものなんだ。だから、こういう席じゃ、しめやかで礼儀正しい。その点、日頃接待もされねェおまわりは騒ぎ放題。もうサイテーよ」

「そんなバカな」

たしかに、この会話は的を射ている。一般に、ヤクザは酒席では礼儀正しいとされる。飲みに行く店のケツモチが他の友好組織であったり、自分の一家一門がケツモチであったりするので、行儀悪い飲み方はできない。チップも弾み、釣り銭はもらわない。ヤクザ流の粋な遊び方である。だから、店側も「暴力団入店をお断り」と謳っていても、きれいに遊んでくれるヤクザは歓迎されるのである。

だが、公僕であるはずの警察組織の面々は、驚くほど酒癖が悪い。警察機構という縦社会での日頃のストレスからなのか、普段は温厚で人格者と誰からも評価される警察官が、酒が入ると〝大トラ〟に変貌したりもする。店の常連客に絡み、ホステスを触りまくり、店内を破壊する。

世間に知られれば、「また警察の不祥事か」と叩かれる騒動は数多くある。いつしか不祥事隠蔽のため、宮内庁御用達（ごようたし）ならぬ、警察御用達の店ばかりで飲むようになる。その多くは、元警察関係者が経営している。警察ＯＢの店もあれば、柔剣道などの師範らが経営する店もあるという。店の形態としては圧倒的にスナックが多いという。

そして警察御用達のスナックでは多少のことは許される。一升瓶の回し飲み、一気飲みなどは初級者。中級者になると、ホステスのハイヒールに酒を入れて一気飲み。

また、ホステスのはいていたパンストを脱がせ、マチ部分をグラスに被せて、そこに酒を注ぐ。コーヒーメーカーならぬ、酒用パンストメーカーである。

ある課の管理官などは、「これを飲むと、捜査が順調にいくんだ」と、大真面目な顔で語る。管理官の言を信じ、部下たちもパンストでろ過したありがたいお神酒(みき)をいただく。

「これで、明日の査察(ガサ)はうまくいくぞ」

管理官は満面の笑みをたたえ、部下たちに言う。部下たちも、嬉しそうにうなずいている。

女性器にポッキーを挿入。ホステスの黄金水を一気飲み

さらに、酒席はエスカレートしていき、上級者にもなると、尋常な酒宴ではなくなる。ホステスのスカートめくりや、乳もみなどはかわいいもの。なんと、店のホステスをカウンターに上げて、下半身を露出させ、女性器にポッキーを突っこむのである。もちろん無償ではない。店のメニューでは800円のポッキーにプレミアがつき、挿入1回1本1000~1万円にまで上昇する。

最上級者はどうか。「おい、島貫巡査、末永巡査! オマエら、黄金水を飲め!」「押忍(オス)!」。ホステスがトイレにグラスを持って駆けていく。しばらくすると、水を流

す音とともにホステスがトイレから出て、黄金水が満たされたグラスを持ちテーブルに着く。「それ、一気！　一気！　一気！　一気！」、騒然としたなかで一気コールが巻き起こる。指名された2人の警察官は、一気に黄金水を飲み干す。と、ここで店内が大爆笑の渦となるのだ。

最後は誰からともなく暴れ出し、騒乱に乗じて店内をメチャクチャに破壊して、やっと飲み会は幕を閉じる。店は1カ月ほどの休業を余儀なくされるが、慣れた様子で店舗の修理費、従業員の休業補償等を警察に請求する。警察側も秘密保持のため、文句一つ言わずに支払いに応じるのだ。これぞ警察御用達の店ならではの光景、といえよう。

朝日と日差しがモチーフの警察のシンボル旭日章は、正義感あふれる神々しいマークだ。しかし、一部の警官たちはその朝日が昇る頃、変態騒ぎに興じているとか……

写真はイメージです。本文とは関係ありません

超有名人もハマった!? 禁断の「女装風俗」変態世界

取材・文●水戸玲

女装して彼女や妻と一緒にペアルックを楽しむコースも

本来は個人の自由であり、他人からとやかく言われるものではないが、世の中にはタブー視されてしまう趣味がある。「女装」は、その代表的なものではないだろうか。といっても、それも昔のこと。10年ほど前から女装をする男性のことは「男の娘」という言葉に置き換えられるようになった。さらに、その趣味を持った人々がマスコミなどで取り上げられるようになり、今では以前より市民権を得ている。

これに伴い、都内を中心に女装ができる「男の娘」スポットが増加。その代表は「女装スタジオ」（変身スタジオともいう）だ。ここではプロのヘアメイクアーティストによって男性が女性に変身し、同じくプロのカメラマンに撮影をしてもらえる。

しかも、メイク、服装の外見だけではなく、ブラジャー、パンティといった女性物の下着にパンストも着用するという。また、驚くことに、最近では彼女や妻と一緒にペアルックを楽しむカップルコースも人気だという。彼女や妻といえば、本来はいちばん隠したいであろう相手なのに……と思うところだが、これが現在の女装の楽しみ方らしい。

さらに女装にはまだ深い世界があった。それが「女装風俗」だ。客が女装をして女性として扱われ、レズプレイなどをする風俗店。客はセレブや著名人が多いという。女装風俗を体験すれば彼らの気持ちがわかるのではないか？　奇しくもホリエモンの新しい恋人が「女装子」で、彼自身も女性の立場になってアソコをホリエモンされたという報道があったこともあり（真偽のほどは不明）、筆者は都内某所を拠点とし、変態プレイに特化した女装デリバリーM性感「A」のサービスを体験してみた。

ブラやパンストを着用し痴女に乳首を攻められる

約束の時間にやって来た美香（仮名）さんは、いかにも痴女な感じのグラマー美女だ。今回は、「変身した自分を記録に残したい」とその場凌ぎのウソをついて懇願し、顔と店の名前を絶対に出さないことを約束して特別に撮影をさせてもらった。

プレイは、まずシャワーを浴びて、着替えるところから始まる。初めて女性モノの下着を着用したが、パンティはタマが収まらないし、ブラジャーも胸が締め付けられて息ができない。パンストの圧迫感も耐えがたいし、キャミソールは裾からスースーと風が入ってきて心もとない。なんとなく不自由な服装だと思えてきた。

着替え終わると、いよいよメイクだ。下地クリームからファンデーション、アイシャドウ、チーク、口紅といった手順で仕上げていくが、この間に美香さんに聞いた話によると、店の常連には政治家や財界の著名人、有名俳優、さらにアイドル集団のＪ事務所の所属タレントもいるそうだ。

「有名なシティホテルに呼ばれると、大体、そういう方たちよね。政治家さんは地下駐車場から部屋があるフロアまでエレベーターで繋がっている某ホテルの常連よ」

そんな話を聞いているうちにメイクが完了した。セレブな感じに仕上がっているのでは、と思っていた。しかし、美香さんに鏡の前に連れていかれると、そこには下町にいるようなオバちゃんがいた。もっと言ってしまえば自分の母親がそこにいた。

「あら、可愛いいじゃない！」「妹にしてイジメたいわ〜！」と言う美香さんであるが、なんか白々しい。そのままプレイが始まり、鏡の前で背後から胸をもまれた。思わず、「うっ！」と短く唸（うな）ってしまうと、「女のコなんだから、もっとイロっぽく感じなさいよ！」と怒られた。

その後、ベッドに移り、筆者が女性として扱われることになるが、ちょっと驚いたのはパンストを破かれたときだ。破かれた箇所から脚に空気が触れる瞬間に思わずゾクッとしてしまい、ガマン汁がダラダラと流れたほどだ。女性も同じように感じるのだろうか？　また、女装で気持ちが女性化しているのか、乳首責めがいつもより感じてしまう。イキそうになっていると、「フィニッシュはお口？　それとも顔？」と美香さんに聞かれた。

〝顔〟とは顔射することだろうか。別にAVみたいなことをしたいわけではないので、「口でお願いするわ！」と伝えたが、気がつけばオネエ言葉になっているから不思議だ。

フィニッシュを迎えると美香さんの口の中に思い切り放出した。すると、美香さんは目だけで笑い、筆者の顔を押さえると、そのままディープキスをして口の中の白濁液を筆者の口内に移した。その瞬間に口の中と鼻孔に広がるなんともいえない香りに悶絶した。

ここで、思わず素に戻ってしまい、「なにをするんですか！」と強い口調で美香さんに問いただしてしまった。すると、「だって、『口』って言ったのはアナタじゃない！」と、今度は彼女が半ギレだ。つまり、口とは白濁液の口移しで女性の気分を味わうことを指していたらしい。

それでは、顔の場合はどうなるのか？　聞けば、「私の手に吐き出したザーメンを客の顔に塗りたくるの！　どっちがよかった？」とのこと。う～ん……どっちもどっちだ。それよりも、しばらくの間、何度、歯磨きをしても口の中に白濁液の香りが残っているような気がしてトラウマになった。

美香さんいわく、某議員さんは口移しにしたものを美味しそうに飲み干すそうだ。そして、「それができて、一人前の女装風俗愛好家だわ」とも言う。別にセレブになれなくてもいいし、一人前になれなくてもいい。それが筆者なりの女装風俗の感想だ。

ベッドの上にズラリと並べられた、この日のプレイに使用するアイテム

目の前で堂々とシャブをキメる〝ヤク中〟女が集う「出会いカフェ」発見!

取材・文●フェラーリ☆星野

指名した女の子は終始ボーっとして、シャワーも浴びずに寝てしまう

貧乏ライターである筆者の唯一の趣味は仕事の合間をぬって、一杯ひっかけたあとに出会いカフェで女を漁ること。行きつけは某チェーン店の出会いカフェだが、都内某所にまだ行ったことがない店舗があったので、気まぐれに顔を出してみることにした。

午前0時、他の出会いカフェ同様に、明るくハキハキした店員に会員証と入場料を渡して入店。マジックミラー越しに女の子を選べる仕組みである。この日は、どの子も即決するようなルックスではなかったため、しばらく待つことにするも、新たに女の子が来店してくる兆しはない。

そうこうしているうちに、酔いも醒めそうだったので、これは勢いで行くしかないと、顔立ちが一番タイプだったボーっとしたまま座っているユキという子を指名して

みた。

トークルームで顔を合わせても、なんだか要領を得ないところがあったが、「1・5（万円）でいい？」との交渉に、即答で「いいよ」と言ってくれたので、そのまま連れ出すことにした。

ところが、一緒に外に出ると、妙に歩き方がふらふらしている。自分も真っ昼間から飲んでいる身で人のことは言えないが、コイツもすでに酔っているのか？　と思ってラブホテルに。チェックインすると、ユキはすぐに疲れたようにベッドに座り込んだ。

「シャワー、先に浴びる？　一緒に入る？」

そう聞くと、ユキはけだるそうに、「先入って」と言う。

シャワーが終わり、「次、どうぞ」と声を掛けるもユキの反応がない。ベッドを見ると、なんとユキは寝息を立てて寝ているではないか。

「おい！　起きろ！　シャワー入ってこいよ！」

そう大きな声を出しても、寝たまま。耳元で、「起きろ！」と怒鳴るが、煩わしそうな声を出すだけで、いっこうに起きる気配がない。それなら、とスカートを脱がそうとすると、「勝手にやって」と目も開けずに呟いた。

「ふざけんな！」

こんなマグロ女とヤっても全然面白くない。大体、昼からこんな状態になるには、変なクスリでもやっているのではないか。腹立たしくなって、「もういい。帰ろう」と言うも、彼女は無反応のままだ。いくらなんでも、寝ている女に1人腰を振って、カネは払えない。一緒にいる時間もバカバカしく、先にホテルを出ることにした。

「やってもいい?」と女の子が取り出したのは白いパケ

なんともいえない負の感情に覆われたまま家には帰れず、さっきの店に舞い戻って、店員にひとしきり文句を言ったあとに、再び入店することにした。

店内には、女の子が1人増えていた。黒髪ロングで、スレンダーなアカリという女だ。高ぶる感情を早く抑えたいという気持ちがあったので、速攻で指名を入れた。トークルームで金額を聞くと、「2（万円）、ください」と答えた。さっきの子が1・5ならアカリの2は全然ありだろうと思い、値切らずに連れ出すことにした。

外に出て一息つくと、酔いがすっかり醒めてしまっていた。面倒がられるかもと思いながら、「一杯飲んでから行かない?」と誘ってみた。すると、アカリは笑顔で、「お酒好きだから、いいよ」と腕を取って、自らも行きたかったような顔をしてくれた。

安い居酒屋に入ると、1時間半は仕事やらプライベートの話で盛り上がった。アカリの隠し事のない自然な姿に、自分もペラペラと饒舌になり、職業を名乗ると興味深そうに聞き入ってくれる。

　あたりは暗くなっていた。この雰囲気でホテルに行くのは、まるでカップルになったかのような心境である。今夜は久々に楽しい夜になりそうだと思っていると、アカリは、部屋に入るなり、真剣な表情で、「ねえ、やってもいい？」と聞いてきた。

　よっぽどたまっていたのか？　と思って、「もちろん」と頷くと、服を脱ぐわけではなく、アカリはなにやらカバンから取り出した。

「理解ある人でよかった」

　そう言ってアカリが出したのは、まさかのパケ。中には白い粉が入っている。そして、その粉を取り出したアルミに載せて、ライターで火をつけた。

　おい、おい、おい、おい、おいっ……！！！！

　一連の仕草は明らかにベテランのシャブ中を思わせる手慣れたものであった。仕事柄、実際のヤク中に取材したこともあったが、こうも目の前で堂々とやられたのは初めてだ。しかし、ここまで来て、今さら止めるのもどうかという状況である。とりあえずヤルことやったら帰ろうと思い、口説きにかかる。しかし、肩を手繰り寄せると、「もうちょっと待って」と言い出す始末。無理やり押し倒して、シャブが服につくのも怖い。大体、今この状況でキスなどしたら、もしかして尿検査で引っかかるんじゃないか？

そんな不安すらよぎったため、落ち着くまで我慢することにした。しかしその後、彼女のいかなる逆鱗に触れたのか、アカリは突然に怒り出した。

「男の人は全部そう！　あなただっていい顔しているだけでしょ！」

なにに対して怒っているのかまったくわからないが、こちらとしては、豆鉄砲を喰らった鳩のような心境だ。しばしなだめた後、少し落ち着いた瞬間に「今だ！」とやや強引に押し倒した。シャワーも浴びてないけれど、このままインサートするしかない。シャツを脱がせて、バストに顔をうずめた。このまま手マンすれば、快楽に身をゆだねるはず……！

そんな期待で、ふと顔を見ると、なんとさっきまで怒っていたのはどこへやら、今度はオイオイと泣いているではないか。股間をまさぐっても、涙は止まらない。それどころかほとんど号泣のような状況だ。

これではまるで、筆者がレイプしているかのようだ。なんで泣いているのかもわからないが、テンションはダダ下がりで、触れていた手を引っ込めて、再び距離を取った。すると、アカリは、「これから、別の人と会うの。その人は私のこと本気で好きだと言ってくれている。私はどうしたらいいの？」と訳のわからないことを口にした。じゃあ、なんで出会いカフェにいて、俺と酒なんか飲んでシャブかっくらってるんだ！　というツッコミを入れる間もなく、アカリは、「もうすぐ来るから、もし一緒に遊びたいなら、ちゃんとそう言ってね」と言い出した。

　もはやアカリの発言は訳がわからないどころではない。虚言だとは思ったが、実際にこのシャブ女と付き合うような男と鉢合わせにでもなったら、シャレにならない。君子危うきに近寄らず、だ。

　連れ出し代とホテル代はまたもや無駄になったが、私は服を着て、逃げ

女の子を指名するとトークルームで2ショットになれる（写真はイメージです。本文とは関係ありません）

出すように部屋をあとにした。

たまたまかもしれないが、ヤク中の集う出会いカフェがあるとは、長年遊び慣れた私にも初めての体験であった。

入会金100万円、一晩20万円「芸能人専門愛人クラブ」の内情

取材・文●島津豊司

元モデルの女性が芸能人脈を使いグラドルやタレントを集める

主にゴシップ誌の編集と執筆を生業としている筆者のもとに、旧知の知り合いである元大手芸能事務所マネージャーが、「芸能人専門の交際クラブ」を紹介しようかと持ちかけてきた。

クラブの代表が顧客を集めるために、周囲の芸能関係者に声をかけているらしく、そのなかで彼も知り合ったらしい。クラブは会員制で、紹介でなければ入れない。カネはないが、いいネタになりそうだと思った私は、さっそく職業を「不動産業」と偽り、紹介してもらった。

翌日、グーグルマップを頼りに指定された麻布十番駅から徒歩数分の、高級そうなビルが建ち並ぶ一帯に向かうと、気後れしてしまうようなデザイナーズマンションが目的地として示された。繁華街の雑居ビルの一室を想像していたので、かなりイメー

ジが違う。「本当にこんなところに、売春クラブなんてあるのか?」と、半信半疑でマンションに入ると、1階には受付嬢がいて、訪問先を告げると、取り次いでくれた。しばらく待つと、エレベーターで下りてきた女性が笑顔で挨拶してきた。交際クラブの代表であるエミリ（仮名）だ。苗字でなく、下の名前を名乗っているのがじつに怪しい。年齢はまだ30歳前後といったところだろうか。現役のモデルといっても通るほどの美人である。もちろんバックに支援者はいるのだろうが、エミリ自身がかつてレースクイーンやモデルとして活動していたため芸能界の人脈を使って女の子を集めているのだという。

エミリに促されてオフィスフロアまで行くと、絨毯（じゅうたん）の敷いてある静かな廊下と不釣り合いなほどに、数多く設置されたドアが目に入った。そして、案内された狭い部屋を目にしたときに、ようやく「なるほど」と気がついた。ここはレンタルオフィスなのだ。

部屋は、3畳ほどだろうか。机が一つと、それを挟んで椅子が向かい合って二つあるだけだ。窓がないのと、壁一面に貼ってある女性の写真や化粧品の宣伝ポスターが、なんだかファッションヘルスの待合室を連想させた。

ブラック会員でなくとも初期費用に100万円が必要

エミリの本業は海外の化粧品の販売代行というのだが、芸能の世界を知れば知るほど「芸能で活動する女の子たちを応援したい」という気持ちになり、このクラブを立ち上げることにしたという。志は立派だが、ここでの「応援」は、「援助交際」という意味ではないか。

しばらく自分語りを行った後、エミリは直球の質問を投げてきた。

「ぶっちゃけておうかがいしますが、1カ月どのくらいの遊ぶ余裕がありますか？」

地元で親から受け継いだマンションのオーナーをやっている設定にしていたのだが、適当に30万円くらいと答えた。エミリの表情はとくに変わらなかったが、値踏みしているのは明らかだった。

本題に入ると、このクラブには、二つの仕組みがあると教えてくれた。一つは写真を見て、気に入った子がいたら会食のセッティングをするというもの。もう一つは定期的に女の子たちを集めたパーティーを開催するので、そこに参加して物色してもらうというもの。話を聞く分には、ずいぶん楽しそうである。

具体的にどんな子がいるかと聞くと、エミリはファイルボックスから写真の束を取り出して見せてくれた。数にして100枚近くあったように思う。ほとんどは知らないモデルたちだったが、なかには仕事柄知っているグラドルや現役のアイドルの顔もあった。Iカップの巨乳グラドルのYや美乳で人気のM、バラエティ番組でも見たことがあるタレントのYの写真もあった。

「ブラック会員の方には、ここでは名前を出せない方も秘密で紹介しますよ」

エミリは、思わせぶりにそう口にした。

半月分くらいの給料を出してでも遊んでみたいとテンションが上がるが、彼女が見せてきた価格表には私の稼ぎではどうにもならない額が並んでいた。一番高いブラックだと入会金だけで100万円、その下のプラチナ会員で50万円、ゴールドで30万円。さらに年会費、個別に会うには別途10万円程度かかるという。これはクラブの取り分なので、女の子本人への謝礼はまた別途だ。女の子にもよるが、一晩の相場は、10万〜20万円くらい必要だという。どうこうしようとすれば、ブラック会員でなくとも最初に100万円近いお金が必要というわけだ。

ネタになるなら少しくらいの投資は惜しまないつもりで紹介してもらったのだが、さすがに回収できる金額ではないため、私は「帰ってから検討します」と言ってクラブをあとにした。

帰りがけに、このクラブを紹介してくれたマネージャーに連絡すると、顧客の多くは経営者や医者、あとはプロ野球やプロゴルファーなどのスポーツ選手だと教えてくれた。さすがに稼いでいる額が1ケタ、場合によっては2ケタも違う相手と同じ遊び方はできそうもない。

クラブは完全会員制のため、ホームページもなければ、店の名前すらもない。とはいえ、高級そうなムードと言葉のオブラートで包んではいても、やっていることはあくまで「売春斡旋」である。

華やかに見える芸能界。その中心の輝きが増せば増すほど、その周囲は暗い影に覆われていくのかもしれない。

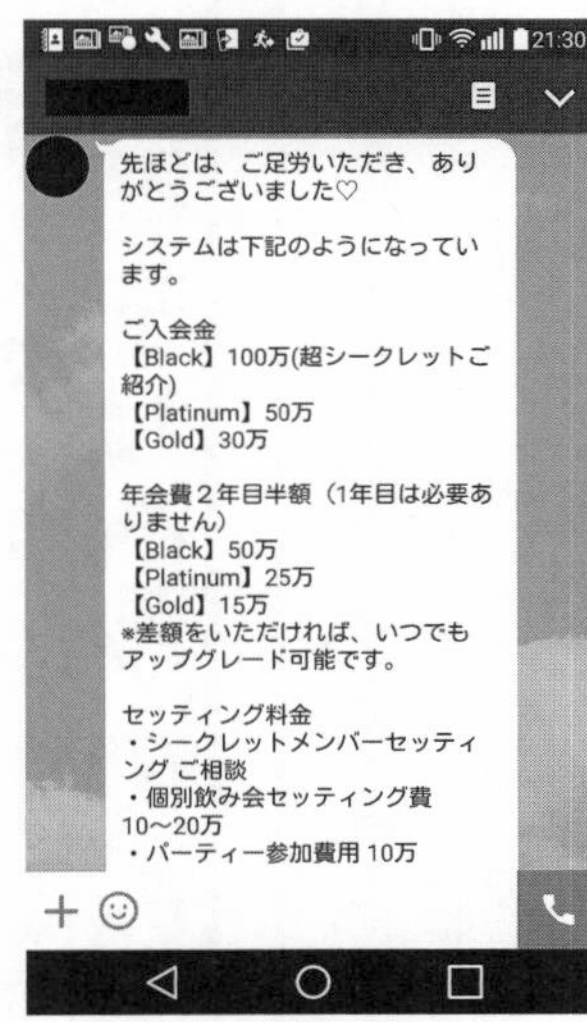

100万円払って抱けるタレントが一体誰なのか、気になるところだ

AV級の過激オプションが無料 激安！「変態デリヘル」の実態

取材・文●神野悟

最安値は4000円でAVのような過激プレイを試せるYグループ

東京都内にも数多く存在する風俗店。なかでも特殊な風俗を探していた際に見つけたのが、最安値4000円台という破格の価格で、様々な過激なオプションが可能だというグループYだ。Yは都内各所に支店がある無店舗型のデリヘルチェーンである。

ホームページを見ると、「アナルファック」の他に、「即尺」「写メ顔出しOK」「尿シャワー」「食ザーメン」「イラマチオ」「3000cc牛乳浣腸」「鼻フック」など、AVでしか見たことがない数々のオプションが可能（女の子による）と記載されている。しかも、オプション料はなんと無料！　とくに気になったのが、「強制食後イラマチオ（ラーメン付き）」というプレイ。入室後、女の子が持参したカップラーメンを食べさせ、それを吐かせることができると解説されている。SM風俗がヘルスより高額のなかで、変態プレイがこんな廉価で試せるなんて……。

さっそく、電話番号にかけてみると1コールで男性スタッフが出た。「初めてだが、とにかくいろいろやってみたい」という願望を伝えると、ロリ顔でドMの翔子という子を勧められた。ホームページに出ていたプロフィール年齢は20歳で、半分顔を隠している状態ではあったが写メを見るかぎりはカワイイ気がする。

また、スタッフからは汚れるようなオプションを行うなら、お風呂の時間を合わせて90分からのプレイを依頼された。しかし、90分でも料金はわずか12700円（+指名料金2000円）。一般的なデリヘルの相場を考えると、それでも大幅に安い。

二つ返事でOKして、勧められたホテルへとチェックインして嬢の到着を待つと、15分ほどでドアのチャイムが鳴った。

ドアを開けると、そこにはAKBにいてもおかしくないような、見事なロリ顔スレンダー美少女が立っていた……わけではなく、服の上からでもわかるぽってりしたお腹と、20歳は絶対ウソだとわかる、くたびれた表情を浮かべた女性が立っていた。

イラマチオも浣腸も苦しまず淡々とこなしていく

思わず「チェンジ！」と言いたくなったが、指名した子のキャンセルはできないと事前に釘を刺されていたのを思い出す。仕方なくそのまま部屋に招き入れ、店のシステムなどを確認することにした。オプションに「即尺」とあったが、テンションが下がってしまったので、スルー。しかし、そこで私は衝撃の事実を聞かされる。なんと、様々なオプションの道具は客が持参するものだというのだ。

「強制食後イラマチオ」に、（ラーメン付き）とあったのに、ラーメンは客が持ってこないとならない。もちろん、ローターや、バイブの他に、３０００ccの浣腸器や、牛乳、鼻フックに至るまで、女の子は持っていない。

すぐに部屋を見まわしてみたが安いラブホテルだからか、食べ物や道具の販売機は見当たらない。部屋の案内を見ても、ルームサービスはなかった。一応50ccの浣腸器だけは持ってきているとのことだったが、それだけだと物足りない。時間はあるため、私はフロントに連絡して、一旦ラブホテルを出てコンビニまで買いに行くことにした。

アラフォー肥満気味の身体を揺らしてコンビニまで走ると、カップラーメンと牛乳を購入して、すぐにホテルまで戻った。バイブや鼻フックはコンビニに売ってないので、残念ながら今回は諦めるしかない。

戻るなり私は、ポットでお湯を沸かし、カップ麺にお湯を注ぐこと3分。翔子はとくにおいしそうでもなくカップ麺を頬張り、半分くらい食べたところで、「このへんでいいですか？」と言うので、ようやくそこで風呂場に向かう。

服を脱ぎながら「イラマチオは苦しくないの？」と聞くと、「全然大丈夫です」となんの感情もなく答える翔子。

そんなものなのか？　と思ってシャワーを浴びながら手コキしてもらうと、愚息がムクムクと勃ってきた。翔子がその愚息を口に含んだので、私はそれに呼応するように、ゆっくり頭を押さえて喉の奥へと挿入すると、嗚咽を上げて翔子はラーメンを吐き出した。

「うわっ！　きったね！」

思わず正直な感想を声に出した。やはりビデオで一流の美女のイラマチオを見るのと、自分で場末の風俗嬢にやるのとは違う。ドSな男なら、ここからが本番とばかりに責めるのかもしれないが、私はストップして、次に浣腸をお願いすることにした。

オプションでは３０００ccも可能とあるが、せいぜい１０００ccが限界とのことだ。翔子が持っていた浣腸器は50cc。限界までいこうとすると、20回も入れなければならず、だいぶ面倒な作業になる。試しに、５回ほど挿入することにしたが、翔子は少しも苦しそうな表情を見せず、「トイレに移動していいですか」と淡々と言う。後処理が大変なので、出すのはトイレだそうだ。

トイレに入った翔子は、ブーブーと豚のように音を立てて、入れたものを出した。「恥ずかしい」の一言もなく、ただ出すだけ……。申し訳ないけど、汚いだけでなにも萌えるところがなかった。

今一度シャワーを浴びてもらって、ベッドインする前に写メを要求。すると、パカッとお股を開いて、顔出しのままプチ撮影会。撮っておいてなんだが、こんなのネットに張り出されたら、どうするつもりなのだろうか。

ベッドでは、ヘルスの流れからアナルファック。望めば生アナルも可能だったが、正直病気が恐すぎるためゴム装着をお願いした。女の子もよくこの金額で、性病のリスクを背負うものだ。

使い込んでいるのか、ゆるいアナルは騎乗位だと程よい締まりで、アソコに入れているのと変わらない感触。ドMといいながら、痴女っぽく、レロレロと乳首責めも合わせてきたため、私はほどなくして騎乗位のまま果ててしまった。

ことが済んだあとに聞くと、じつは客の多くはオプションなどとくにすることはなく、普通にヘルスプレイだけして帰るとのこと。いろいろやろうとする客は逆に珍

風俗歴は3年だという翔子。脱いだら別の意味で「凄いんです」とばかりにぽってりとしたウエストが現れた。正直萎えたが、だらしない腹部はM女の証なのかもしれない

しいそうだ。まあ、たしかに面倒なだけではある。

その後、翔子は気を許したのか、今まで会った他の客の悪口を吐き出してきた。「大学生はカネないくせにバカばっかり」「ＬＩＮＥ教えてやったら、映画行こうとか、行くわけないだろ！」と、別れる瞬間まで汚い口撃は止まらなかったので、最後は翔子がＭなのかＳなのかよくわからなくなった。

ただ、オプションのために、ラーメンを買いにプレイ中にコンビニまで走ったおっさんがいた話は、きっとバカにしながら別の客に言うのだろう、ということだけは推測できた。

本書は2017年2月に小社より刊行した単行本
『激ヤバ潜入！ 日本の超タブー地帯』を改訂・
改題し、文庫化したものです。

超激ヤバ潜入 日本の超タブー地帯

（ちょうげきやばせんにゅう にほんのちょうたぶーちたい）

2024年7月17日　第1刷発行

著　者　宝島特別取材班

発行人　関川 誠
発行所　株式会社 宝島社
〒102-8388　東京都千代田区一番町25番地
電話:営業 03(3234)4621／編集 03(3239)0928
https://tkj.jp
印刷・製本　株式会社広済堂ネクスト

Printed in Japan
First published 2017 by Takarajimasha, Inc.
ISBN 978-4-299-05828-7